CONSEILS À UN JEUNE ROMANCIER

Du même auteur

Le Cadeau du millionnaire, roman, Montréal, Éditions Québec Amérique, 1998.

Les Hommes du zoo, roman, Montréal, Éditions Québec Amérique, 1998.

Le Millionnaire, roman, Montréal, Éditions Québec Amérique, 1997.

Le Livre de ma femme, roman, Montréal, Éditions Québec Amérique, 1997.

Le Golfeur et le millionnaire, roman, Montréal, Éditions Québec Amérique, 1996.

Le Psychiatre, roman, Montréal, Éditions Québec Amérique, 1995.

Marc Fisher

CONSEILS À UN JEUNE ROMANCIER

ÉDITIONS QUÉBEC AMÉRIQUE

329, rue de la Commune O., 3e étage, Montréal (Québec) H2Y 2E1 (514) 499-3000

Données de catalogage avant publication (Canada)

Fisher, Mark, 1953 -

Conseils à un jeune romancier

ISBN 2-7644-0066-7

I. Titre.
PS8581.O24C66 2000 C843'.54 C00-941130-5
PS9581.O24C66 2000
PQ3912.2.P64C66 2000

Les Éditions Québec Amérique bénéficient du programme de subvention globale du Conseil des Arts du Canada. Elles tiennent également à remercier la SODEC pour son appui financier.

Nous reconnaissons l'aide financière du gouvernement du Canada par l'entremise du Programme d'aide au développement de l'industrie de l'édition (PADIÉ) pour nos activités d'édition.

www.quebec-amerique.com

Dépôt légal : 3e trimestre
Bibliothèque nationale du Québec
Bibliothèque nationale du Canada

Mise en pages : André Vallée

Pour Florence, Florence et Florence :
ma mère adorée, ma nièce adorable
et la ville magique…

Pour tous ceux qui rêvent d'écrire…

TABLE DES MATIÈRES

Lettre première

De mes hésitations

Paris, le 7 juin 1999

Cher neveu,

Il semble que nos récentes conversations n'ont pas su te décourager de ton rêve de devenir romancier, malgré toutes les difficultés, malgré toutes les vexations que je me suis efforcé de te représenter pour t'en détourner. Car voilà que tu reviens à la charge, avec le bel enthousiasme de tes dix-huit ans, et me demandes des conseils sur le métier lui-même.

D'entrée de jeu, je t'avoue que j'hésite, car des auteurs plus illustres que moi ne se sont pas risqués à une entreprise aussi périlleuse.

« Cher oncle, tu gagnes ta vie de ta plume depuis des lunes ! » t'entends-je protester de ta voix lumineuse.

Peut-être, mais je n'ai jamais eu la prétention d'être un grand théoricien. Je ne suis qu'un romancier d'instinct qui a appris sur le tas, comme on dit, et n'a pas mené bien loin ses études.

Aussi ai-je envie de te répéter, avec cinq cents ans de retard, les précautions oratoires de Machiavel qui, dans sa préface du *Prince*, se défendait de la sorte : « Je ne voudrais pas non plus qu'on traitât de présomptueux un homme de basse condition, parce qu'il ose discourir du gouvernement des princes et proposer des règles. »

Bien sûr, il finit par écrire son traité fameux. Et je devrais sans doute en faire autant, car je sens bien que si je ne me plie pas à ta demande, je te décevrai. Et s'il est une chose que je veux éviter, c'est de te décevoir. Tu l'as déjà été suffisamment par la Vie, qui t'enleva récemment ton père, mon cher frère, qui fut pour moi un inestimable compagnon.

Alors félicite-toi de ta ténacité : je ferai ce que tu me demandes, même si c'est un peu contre ma nature, car il me semble que lorsque je pense à mon métier, dont je n'ai pas l'impression d'avoir percé le mystère, je deviens volontiers taoïste, et me dis comme Lao Tseu : « Celui qui sait ne parle pas, celui qui parle ne sait pas. »

Je le ferai donc, mais uniquement parce que c'est toi qui m'y exhortes. Je voudrais pourtant te prévenir dès le départ : rien ne me chagrinerait autant que de découvrir un jour que tu as pris pour des vérités d'évangile mes modestes suggestions.

Elles sont, certes, le fruit de plus de vingt-cinq ans de réflexion, mais ce qui est utile pour moi ne le sera pas nécessairement pour toi. Du reste, si ce que j'ai cru découvrir – ou redécouvrir, soyons lucide – était si profond, si valable, mon succès aurait sans doute été beaucoup plus éblouissant, ma gloire plus considérable.

Je ne te suggère évidemment pas d'imiter certains esprits qui, comme le déplorait le divin Platon, vomissent, tels de mauvais estomacs, tout ce qu'ils mangent.

Mais n'avale pas tout indifféremment non plus, comme si cette nourriture était assurément excellente pour toi. Car ce qui est un remède pour un romancier peut être un poison pour un autre : je m'en voudrais éternellement que mes suggestions empêchent ta véritable voix de s'élever un jour et tuent en toi le romancier que tu aurais pu être.

En un mot comme en mille, fais preuve de discernement et, tel que le recommandait Descartes, n'accepte comme vérité que ce que ta raison aura d'abord soigneusement soupesé.

Frotte-toi à ma « méthode », si tant est qu'elle en soit une, mais frotte-toi aussi à celle des autres. Analyse-toi. Observe-toi lisant. Observe-toi écrivant, sans pourtant tomber dans cette complaisance moderne qui a engendré tant d'œuvres exécrables. Sois un laboratoire pour toi-même.

Sois à la fois victime et bourreau, peintre et modèle.

Voyant ce qui te fait rire, ce qui te fait pleurer, demande-toi pourquoi tu as ri, pourquoi tu as versé des larmes. Demande-toi pourquoi tu as tourné les pages à toute vitesse et pourquoi, ennuyé, tu as refermé prématurément – et définitivement – un ouvrage dont tu avais pourtant entrepris la lecture gonflé du désir le plus favorable. Ne te contente pas d'éprouver les effets, recherches-en également la cause.

En somme, reçois ce que je te donne avec un esprit ouvert. Ne retiens que ce qui te convient, ce qui t'inspire, ce qui te révèle à toi-même. Sois à la fois opportuniste et personnel. Deviens ce que tu es.

Lettre 2

De la méthode que j'utiliserai

Paris, le 9 juin 1999

Cher neveu,

Il y a quelques mois, ayant accepté de rencontrer un jeune homme qui m'avait demandé de lire sa première œuvre, je lui demandai s'il connaissait *Madame Bovary.*

« Non, s'empressa-t-il de dire, plein de bonne foi, mais j'aimerais bien la rencontrer, surtout si elle travaille dans une maison d'édition... »

Un peu plus tard dans la conversation, je fis remarquer aimablement à cet auteur en herbe que son livre était un peu court côté idées et je lui suggérai de le saupoudrer d'un peu de philosophie. J'ajoutai, indulgent : « Il n'est pas nécessaire que ce soit du Pascal...

— Pascal qui ? » s'empressa-t-il de me demander, plume en main, impatient de prendre une note décisive pour l'amélioration de son manuscrit.

Je ne te raconte pas ces anecdotes pour me moquer de toi « par jeune homme interposé ». Je sais que tu connais le vieux Flaubert – qui mourut d'ailleurs fort jeune – et, l'autre jour, tu as cité fort à propos une magnifique pensée de Pascal sur le divertissement.

Mais je sais aussi que, malgré ta prometteuse boulimie de lecture, tu ne peux pas, à dix-huit ans, avoir autant lu que ton vieil oncle qui toute sa vie a usé ses yeux dans des livres, sacrifiant presque tout le reste – famille, amitiés, amours même – à cette dévorante passion.

Aussi vais-je me permettre, pour illustrer certains principes, de me servir d'exemples tirés de films. D'ailleurs pourquoi m'en priverais-je ? Le cinéma ayant abondamment pillé la littérature, ne pouvons-nous lui rendre la monnaie de sa pièce en lui faisant à notre tour des emprunts ?

Du reste, comme tu le verras un peu plus loin, ce qui compte pour moi, c'est avant tout la narratologie. Je déteste ce mot savant, mais n'en trouve pas spontanément d'équivalent. C'est, si on veut le traduire approximativement, et comme tu l'as sans doute deviné, la science du récit.

La science du récit...

Retiens bien cette expression...

Si tu veux réaliser un jour ce rêve magnifique et pourtant difficile de vivre de ta plume, il faudra – si du moins je me fie à mon expérience – que tu maîtrises, non pas parfaitement certes, mais le mieux possible, cette science mystérieuse et belle qui remonte à la nuit des temps, et semble puiser aux mythes les plus profonds de l'humanité...

Plus que le style, plus que les relations, plus que la publicité et le scandale, cette science sera garante de ton succès...

Nous y reviendrons bien entendu – et plus spécifiquement dans ma prochaine lettre – mais pour le moment sache simplement que, pour tenter de te démontrer les principes que tu retrouveras dans ces lettres, je recourrai indifféremment à la littérature et au cinéma. Au théâtre aussi.

Je sais que comme les jeunes gens de ta génération tu vois beaucoup de films. Je ne te le reproche pas. Je le constate seulement. Mais que cela ne te vole pas trop d'heures que tu pourrais consacrer à la lecture.

Car n'oublie pas ce principe incontournable : qui veut écrire doit lire. Et doit lire jusqu'à l'étourdissement, jusqu'à l'ivresse. Il n'y a pas en littérature – ni ailleurs du reste – de génération spontanée.

Chaque génie pilla ses prédécesseurs ou, si tu veux, s'en inspira, s'en nourrit, ce qui pourtant ne compromit pas son originalité.

Ceux qui, sous prétexte de ne pas vouloir être influencés indûment, se targuent de ne pas lire et veulent pourtant écrire, font preuve de paresse et de bêtise. Je ne connais nul grand écrivain qui ne fut d'abord – et en général ne resta toute sa vie – un grand liseur. Inspire-toi de cette sagesse.

Newton a dit, avouant avec une belle humilité l'apport des Anciens dans ses découvertes : « Si j'ai pu monter si haut, c'est que j'étais hissé sur les épaules de géants... »

Donc, empresse-toi de visiter les chefs-d'œuvre du passé, fréquente les grands. Leur compagnie te nourrira et t'inspirera. Rappelle-toi pourtant que ce qui fut un chef-d'œuvre à une époque ne le serait pas forcément aujourd'hui. Sois résolument moderne !

Je dois maintenant cacheter cette lettre, car je pars dans quelques minutes pour Portofino, et je n'ai pas encore bouclé mes valises...

Mais en attendant de me lire de nouveau : lis, lis, lis !

Lettre 3

De l'opposition du style et de l'histoire

Portofino, le 10 juin 1999

Je t'écris depuis Portofino, charmant port de mer de la Riviera italienne occidentale qui, à cette époque de l'année, est fort paisible, pour ne pas dire désert. Je ne m'en plains pas trop. Les touristes sont moins nombreux, qui nous gâchent parfois les sites les plus beaux. Et les prix des chambres d'hôtels, exorbitants en haute saison, sont plus abordables.

Je suis assis sur un banc du port, un banc de bois et de fer, et je ne m'ennuie pas des bancs de plastique des grande villes modernes.

Devant moi, paisibles, les eaux de la charmante baie, où mouillent quelques barques, quelques voiliers, et aussi un yacht majestueux qui doit appartenir à quelque milliardaire, à moins que ce ne soit à la belle et richissime héroïne du *Marin de Gibraltar* de Duras.

À ma droite se dresse la colline plantée de platanes admirables dont le vert subtil et comme irréel, mêlé à celui des cyprès et des autres arbres, est une véritable symphonie dont je m'émerveille à chaque coucher de soleil.

Si je pouvais choisir le décor devant lequel je voudrais mourir, c'est cette baie de la Méditerranée, c'est cette colline, ce sont ces platanes et ces cyprès que j'adopterais comme derniers témoins.

Il me semble que la mort serait plus douce, qu'ayant vu ce qu'il y a de plus sublime, je mourrais sans regret.

Juste derrière moi, au-dessus de ma tête, sur un mur lézardé où la treille à la rose s'allie, une belle plaque de bronze rappelle aux visiteurs distraits que Maupassant vint un jour à Portofino pour y soigner ses nerfs malades.

Si je te parle de ce célèbre écrivain du siècle dernier, c'est que lui aussi dut affronter le problème que tu éprouveras si tu veux vivre de ta plume.

Car il est vieux le débat qui oppose les tenants du style à ceux du récit, les littéraires et les modestes artisans qui se contentent de raconter une bonne histoire.

À l'époque des frères Goncourt, il y avait les partisans de ce qu'on appelait le style artiste et ceux qui, comme Zola, Balzac et Maupassant, s'efforçaient surtout de « peindre » une société, de raconter une histoire bien ficelée en campant des personnages hauts en couleur.

Il est ironique et en tout cas instructif de constater que leurs livres, même avec l'absence de style qu'on leur reprochait, ont survécu et qu'on parle encore d'eux alors que leurs détracteurs plus « artistes » ont sombré dans l'oubli le plus total.

Ce que je cherche à te dire avec ce préambule, c'est que si tu veux vivre de ta plume il te faudra probablement faire rapidement ce choix qui se posa à tes prédécesseurs entre le style artiste et ce que nous pourrions entre nous appeler le style efficace. Ou pour mieux dire tu devras rapidement décider si tu veux consacrer le plus beau de tes énergies au style ou à l'histoire.

Je sais bien qu'idéalement ton style et ton histoire devraient être mêmement sublimes. Mais garde toujours à l'esprit, lorsque tu planifies tes efforts, que le public n'a cure du style. Certes il veut plus ou moins consciemment une certaine correction, mais pour le reste il n'en a que pour l'histoire.

Fais-en si tu veux la désolante expérience. Échine-toi sur une seule page pendant dix jours, injectes-y les métaphores les plus étincelantes, lime tes phrases jusqu'à l'ivresse, puis soumets ce que tu considères comme la plus haute expression de ton talent – à l'aube de ta vie, bien entendu – au lecteur moyen, et guette sa réaction.

Si tu as négligé l'histoire, en un mot si ta page n'est qu'un élégant bas de soie, le lecteur ne te le dira pas, si du moins la pudeur ou la politesse le retiennent, mais il estimera que ce n'est qu'un tas de merde, ou du vent : donc rien. Rien dit élégamment certes, mais rien quand même. Et ce rien ne te rapportera rien mais plutôt t'affamera.

D'accord, peut-être récolteras-tu ici et là une critique élogieuse, mais tente l'expérience d'aller à l'épicerie avec ce bout de papier dithyrambique et vois si tu en ressors avec le sac plein des victuailles dont tu auras besoin pour sustenter ton inspiration !

Non, dans ta page « parfaite », le lecteur moyen n'aura rien à se mettre sous la dent. Son sourcil s'arquera, son front perplexe se plissera et il laissera tomber, un peu bêtement, et pourtant avec un bon sens indéniable : « Quand l'histoire va-t-elle commencer ? »

Car vois-tu, écrire un roman sans placer au-dessus de tout l'histoire, c'est un peu comme prétendre écrire une comédie sans la parsemer de répliques drôles, de situations hilarantes. Le spectateur ne se sentirait-il pas à juste titre floué ? Et serait-il étonnant de l'entendre dire : « Quand vais-je commencer à rire ? »

Du reste, ce que je te dis là n'est pas original. D'autres l'ont dit avant moi, et l'un des premiers connus sans doute, et dont le génie a projeté son éclat au-delà des millénaires, c'est le vieil Aristote.

Dans *La Poétique* – dont je te recommande chaudement la lecture – déjà il se demandait ce qui, des personnages ou de l'histoire, était le plus important. Et il en concluait que l'histoire devait primer. (D'ailleurs en ce sens, et à leur insu, de même que monsieur Jourdain faisait de la prose sans le savoir, les producteurs de cinéma hollywoodiens sont aristotéliciens !)

Tu me diras qu'Aristote n'opposait pas l'histoire au style. Mais dans la hiérarchie d'un roman, il me semble que si l'histoire est plus importante que les personnages, les personnages, eux, sont forcément plus importants que le style. Alors...

Je sais, je sais, je t'entends élever une protestation indignée, et peut-être l'admiration que tu vouais à ton oncle s'est-elle déjà émoussée : tu me prenais pour un artiste, et voilà que tu me découvres marchand !

Mais n'est-ce pas ce qu'est un romancier, un marchand de prose ou, pour mieux dire, un marchand d'histoires ?

Dans le bel idéalisme de tes dix-huit ans, tu me cries que ce que tu veux, ce n'est pas seulement vivre de ta plume, ce n'est pas seulement devenir écrivain, c'est devenir un grand écrivain.

Laisse en paix les grands écrivains !

Admire-les certes, mais de grâce, si tu ne veux pas empoisonner toute ta vie, ne te répète pas comme le fit Hugo à quatorze ans dans son journal : « Je serai Chateaubriand ou rien ! »

Je ne dis pas que tu ne deviendras pas le Victor Hugo de ta génération, que tu n'écriras pas un jour les *Misérables* de ton siècle, mieux encore *Notre-Dame-de-Paris.* Je ne te demande pas de renoncer à tes rêves de génie – si du moins tu en as. Mais mettre ton bonheur entre les mains d'un idéal aussi improbable me semble bien téméraire.

Alors fais preuve de sens pratique. D'ailleurs, la grandeur ne s'enseigne pas, et ne s'acquiert que rarement dans un temps aussi court qu'une seule vie. Elle a à voir en général avec l'âge d'une âme, ou surgit par quelque accident de la destinée, une souffrance profonde, que tu ne peux appeler, que tu ne peux éviter.

En revanche, le métier s'enseigne.

Bien sûr, sans un minimum de talent, il demeure insuffisant. Mais si tu as senti monter en toi ce désir de devenir romancier, et que ce n'est pas uniquement la gloriole qui t'attire, c'est sans doute que tu possèdes en ton âme les dispositions nécessaires.

Parviendras-tu à les développer suffisamment pour qu'elles portent fruit en cette vie ?

Je ne saurais le dire.

Seul l'avenir le fera – si du moins tu persévères.

Oui – et c'est ici l'oncle qui te parle et qui se sent un peu ton père depuis que tu es orphelin – sois épicurien, pense avant tout à ton bonheur.

Apprends de ton mieux le métier avant de prétendre au génie.

Apprends à raconter une histoire.

Quant au style, c'est un peu comme ce supplément d'âme dont parle Bergson. Je ne peux te le donner, tu ne peux te le donner toi-même.

C'est la Vie, c'est le Ciel qui en décideront et te feront ou non ce cadeau précieux, fruit de quelque alchimie mystérieuse.

Si un pareil hasard heureux te comble un jour, alors peut-être, dès qu'on lira une page de toi, saura-t-on que c'est toi qui l'as écrite, comme on reconnaît immédiatement une page de Proust.

Mais, en attendant, concentre tes efforts sur des choses moins impalpables.

Comme la science du récit.

Et de toute manière ne t'inquiète pas : si le génie a à éclore un jour en toi, ce ne sont pas les quelques principes que j'aurai pu t'enseigner qui l'étoufferont.

Tu prendras ces connaissances et, comme Verlaine recommande de faire avec l'éloquence, tu leur tordras le cou : il faut commencer par connaître les règles avant de les briser.

Je dois maintenant prendre congé de toi. Je vais faire comme chaque jour ma petite promenade matinale. Ce matin, elle sera un peu plus sportive, si je puis dire, car je vais gravir d'un pas ému la colline qui mène au château dominant la baie.

À l'extrémité du promontoire qui s'avance dans la mer, se trouve une sorte de parc plus ou moins abandonné avec un banc unique où le promeneur peut reposer ses jambes en admirant la Méditerranée. C'est là que je réfléchirai au prochain chapitre du roman que j'ai entrepris il y a quelques jours.

En attendant ma prochaine lettre – qui ne tardera pas trop, je te le promets – médite ce que je viens de te dire. Il m'a fallu une dizaine d'années au moins avant de savoir vers quoi porter mes efforts. Je ne pensais qu'à mes phrases, j'oubliais la charpente secrète du roman, j'oubliais l'histoire.

Sois plus sagace que moi. Monte sur mes épaules, comme l'enfant Jésus monta sur celles de saint Christophe. Ce ne sont pas des épaules de géant, certes, mais simplement celles d'un voyageur du monde et des livres, et elles peuvent te supporter, faciliter ta marche dans la forêt du roman.

Sers-toi de mes vues comme d'une lunette utile qui te permettra de voir un peu plus loin dans le bel azur romanesque.

Sers-toi de mon expérience et économise les dix années que j'ai perdues en efforts stériles.

Pour une heure que tu consacres à ton style, consacres-en dix à ton histoire !

Lettre 4

D'autres notes sur le style et l'histoire...

Portofino, le 12 juin 1999

Cher neveu,

Hier – ou est-ce avant-hier ? La solitude et la mer me font parfois perdre le notion du temps... – je t'écrivais au sujet de l'importance de l'histoire. Et ce matin, en entrant dans un modeste tabac pour y acheter mon journal, j'ai remarqué que la caissière, une ravissante Milanaise blonde avec qui j'ai bavardé quelques fois, lisait en italien – forcément – un roman de John Grisham : *La Firme*.

Cela n'a fait que renforcer en moi ce que je te disais dans ma dernière lettre. Si tu veux être lu par un large public, l'histoire doit primer. Les auteurs américains l'ont assez bien démontré.

Car si tu y penses, qu'ont en commun John Grisham, Michael Crichton et Mary Higgins Clark ? (J'aurais pu te citer d'autres auteurs américains, mais ce sont eux qui me sont venus à l'esprit...)

Eh bien, tous ont écrit des livres qui voyagent, c'est-à-dire qui ont été traduits en plusieurs langues.

Ils ont aussi ceci en commun : aucun n'a une formation littéraire – si ce n'est celle qu'ils se sont eux-mêmes donnée. John Grisham est avocat de formation, Crichton, médecin, et la reine du suspense était secrétaire et mère de famille avant d'entreprendre à quarante-six ans sa prestigieuse carrière.

Je sais, tu me diras que la culture américaine est la culture dominante, comme le furent dans l'Antiquité la grecque et la romaine. Je te l'accorde, mais le succès de ces auteurs ne s'explique pas seulement par l'hégémonie de l'oncle Sam. Si les romans américains ennuyaient, il ne leur suffirait pas d'être américains pour être lus dans le monde entier.

Comprends-moi bien, je ne te suggère pas d'imiter servilement nos voisins d'Amérique. Mais inspire-toi de leur sens pratique.

D'ailleurs si nous voulons que notre littérature survive, il faut peut-être dès à présent nous atteler à cette tâche difficile et pourtant nécessaire de reconquérir les lecteurs dont le cercle s'amenuise comme une peau de chagrin.

Car qu'est un auteur, si fécond soit-il, qu'est une littérature, si sublime soit-elle, sans lecteurs ?

Je sais, tu m'objecteras qu'il y aura toujours le chef-d'œuvre inconnu, qui peut-être même ne sera jamais publié... Tu m'objecteras que de son vivant Stendhal ne vendit que trois cent cinquante exemplaires du *Rouge et le Noir*, ce qui n'enlève rien à la grandeur de l'œuvre.

N'empêche, une littérature sans lecteurs se condamne à plus ou moins court terme à l'extinction.

Pourquoi ne pas combattre le feu par le feu ?

Pourquoi ne pas battre les Américains sur leur propre terrain ? Est-ce une tâche si difficile ?

Et si, laissant de côté la haute et irréaliste ambition de sauver à toi seul toute une littérature, tu ne songes qu'à ton rêve de vivre de ta plume, pourquoi n'uses-tu pas, du moins pour un temps, des armes du conquérant ? (Il me semble que je te parle comme le faisait Machiavel à un prince dont le royaume ou plutôt la principauté était menacée par quelque rival redoutable...)

Pourquoi ne ferais-tu pas des principes que je t'enseignerai le cheval de Troie qui te permettra de pénétrer dans la citadelle américaine ?

Mais revenons aux trois auteurs cités plus haut. Dépourvus de connaissances littéraires – donc empêchés par la force des choses de se complaire dans les beautés stylistiques – ils sont d'excellents conteurs. C'est ce qui a assuré leur succès partout dans le monde.

N'oublie pas qu'une histoire se traduit aisément : lorsque tout le charme de ton roman repose sur le style, tu te condamnes presque à l'avance à n'être lu que dans la langue originale. À la limite, ton roman devient un poème et il est quasi intraduisible. Et puis même s'il était traduisible, ce ne sont pas tous les auteurs qui, comme Poe, ont la chance d'avoir Baudelaire comme traducteur.

En général – crois-en ma douloureuse expérience – on te trahira, on défigurera tes romans. Le traducteur est un douanier implacable qui ne laisse à ton roman que ce qui est nécessaire au voyage : l'histoire est ton seul viatique. Alors fais en sorte que ton récit soit puissant, tes personnages attachants...

Lettre 5

De l'identification du lecteur au héros

Portofino, le 13 juin 1999

À la fin de ma lettre précédente que j'ai interrompue un peu brusquement – les personnages du roman en cours m'appelaient de leur voix impérieuse ! – je t'exhortais, entre autres choses, à rendre tes personnages attachants.

S'il y a une nécessité romanesque à laquelle l'auteur ne saurait se dérober, c'est bien celle-là.

Car que veut dire le lecteur lorsque, refermant avec ennui ou dégoût un roman, il décrète, juge terrible : « Je n'embarque pas ! » ?

En général, et même s'il ne le dit pas expressément, il estime qu'**il ne se passe rien**, ou que **les personnages, et surtout le personnage principal, le laissent indifférents**.

Je reviendrai dans une autre lettre sur le premier des symptômes de l'ennui chez ce lecteur. Analysons d'abord ce second mal, si terrible qu'en général le roman n'y survit pas : l'indifférence du lecteur au sort des personnages et principalement, c'est le cas de le dire, au personnage principal.

Aristote déjà disait que pour qu'un personnage intéresse un lecteur il devait susciter chez lui la pitié, ce que de nos jours nous pourrions traduire par sympathie.

Mais qu'est-ce qui rend un personnage principal, pour mieux dire un héros, attachant ?

Tu seras peut-être tenté de me répondre spontanément qu'il y a sans doute d'innombrables traits de caractère ou d'actions – car c'est essentiellement par ses actions qu'un personnage se définit – puisqu'il y a déjà d'innombrables romans différents qui t'ont plu au cours de ta brève existence.

Et pourtant si tu t'arrêtes à y réfléchir un peu, tu relèveras dans le portrait des héros qui t'ont plu des ressemblances, des constantes.

C'est ce que j'ai tenté de faire hier, mettant à profit le temps pluvieux qui me condamnait à la solitude de ma chambre d'hôtel. Je me suis étonné de la facilité avec laquelle ces traits communs s'élevaient puis s'ordonnaient dans mon esprit. Est-ce la preuve – incertaine – de leur justesse ? Je te laisse le soin d'en juger.

Mais avant de dresser cet inventaire, je te rappelle que le roman ne sera jamais une éprouvette qu'on peut manier avec la sûreté du savant. Le mystère de son charme ne sera jamais totalement dissipé : il n'y a que les cadavres qu'on peut disséquer.

Pourtant, il me semble que tu auras fait un grand pas en avant, il me semble que tu éviteras nombre des tâtonnements et des erreurs qui ont rendu si long mon apprentissage, si tu réfléchis à l'inventaire qui suit.

Devant sa longueur, tu t'exclameras peut-être qu'il embrasse presque tout le champ des émotions, des situations humaines. Je n'en disconviens pas, il est vaste, puisque j'y énumère douze manières de créer l'identification avec ton héros.

Ne vois pas cet inventaire un carcan qui gêne ta marche vers la gloire mais plutôt comme un carquois dans lequel tu pourras puiser d'innombrables flèches.

Descartes a écrit *Le Traité des passions.* Pour m'amuser – et pour que tu ne prennes pas trop aux sérieux les échafaudages de ton vieil oncle – je baptiserai mon inventaire : *Le Traité de l'identification.*

ARTICLE PREMIER : LE HÉROS EST AMOUREUX.

Je t'entends déjà pousser les hauts cris. Quelle banalité ! Et pourtant, combien de fois n'ai-je pas lu des manuscrits – et même des œuvres publiées – dans lesquels un homme et une femme, libres selon toute apparence, se côtoyaient pendant deux cents pages sans que jamais la moindre étincelle jaillît entre eux, comme s'ils étaient de parfaits asexués, des robots sans la moindre émotion ! À moins que ce ne fût l'auteur qui ne l'ait été... Ou qui n'ait été inexpérimenté. Et cette absence d'étincelles m'irritait – comme elle irrite sans doute tout lecteur –, me paraissait même contre nature.

Car l'amour n'est-il pas, avec le travail, l'un des grands pôles de notre existence ?

Chaque fois que tu hésites à mettre au moins une sous-intrigue amoureuse dans ton roman (je sais que certains genres ne l'admettent guère, comme le roman policier, essentiellement cérébral), donc chaque fois que tu hésites, demande-toi pourquoi les hommes veulent devenir riches, pourquoi ils veulent devenir célèbres, si ce n'est, au fond, pour plaire aux femmes, ou conquérir l'amour qu'un parent leur a refusé.

Et les femmes, que recherchent-elles, une fois qu'elles se sont accomplies dans leur travail, si ce n'est l'être avec lequel elles puissent partager l'amour véritable ?

Aussi ne crains pas de rendre ton héros amoureux, du moins lorsque la situation s'y prête, et elle s'y prête presque toujours.

On s'identifie aisément à un héros amoureux, surtout, bien entendu, comme nous le verrons un peu plus loin, si son inclination rencontre des obstacles.

Car tout le monde a été un jour ou l'autre amoureux – ou a souhaité l'être.

Pense à tous les grands romans d'amour du passé. Pense à *Mort à Venise*, à *La Chartreuse de Parme*, à *L'Éducation sentimentale*, à *La Dame aux camélias*. Pense aux *Souffrances du jeune Werther*, aux *Liaisons dangereuses*. Rappelle-toi, plus près de nous, *Le Docteur Jhivago*, *Autant en emporte le vent* et la scandaleuse *Lolita*...

Pense à ces romans et, surtout, empresse-toi de les dévorer si ce n'est déjà fait.

Tu m'objecteras peut-être qu'il s'agit là – dans presque tous les cas – de romans anciens, et que l'amour, du moins en littérature, est passé de mode puisque tout a été dit à son sujet.

L'amour ne sera jamais démodé : ce sont certains auteurs qui le sont, parce qu'ils singent leurs aînés et ne vivent pas dans l'instant présent, là seulement où l'on découvre les neuves moissons.

Que ton héros soit donc amoureux, même si ton intrigue principale repose sur d'autres fondements.

Consacre au moins ta sous-intrigue ou une de tes sous-intrigues (nous verrons dans une lettre prochaine quel est le rôle des sous-intrigues) à ce que les Américains appellent le *love interest*, l'intérêt amoureux.

Les variations, les masques sont innombrables.

Mais une nécessité s'impose : **tu dois t'ingénier à contrarier les amours de ton héros**. Si les deux sont d'accord, si personne ne s'oppose à leur passion, il te faudra du génie pour écrire un roman, et surtout intéresser le lecteur.

Car, comme l'a si bien démontré Denis de Rougemont dans *L'Amour et l'Occident* (lis-le absolument), l'amour naît de l'Obstacle.

Oui, l'Obstacle, qui prend différentes formes selon les époques, les milieux, les situations dramatiques, mais toujours nécessaire, incontournable : L'OBSTACLE.

Qu'auraient été, par exemple, les amours de Roméo et Juliette sans la haine entre leurs deux familles ?

Sans cet obstacle qui a été modulé à l'infini par les poètes, les dramaturges et les romanciers (l'opposition vient souvent du père qui ne trouve pas son futur gendre assez bien pour sa fille...), Shakespeare, malgré tout son génie, n'aurait pu aboutir à la tragédie la plus célèbre de l'histoire. Il aurait marié Roméo et Juliette, leur aurait donné une progéniture, et la postérité les aurait vite oubliés : comme disait Gide, on ne fait pas de littérature avec de bons sentiments.

D'autres obstacles ?

À l'époque où la moralité réprouvait l'infidélité et où l'institution du mariage avait encore quelque solidité, l'adultère présentait encore un certain intérêt pour les romanciers : la morale, la société étaient l'obstacle.

Aujourd'hui, amoureux hors du mariage, les gens mariés quittent leur conjoint sans les hésitations du passé : le romancier doit inventer d'autres obstacles.

Pourtant dans *Les Ponts de Madison*, qui connut il y a quelques années un succès retentissant, l'auteur a imaginé un obstacle intérieur chez son héroïne. Mal mariée (toutes les héroïnes le sont depuis *Madame Bovary*, qui engendra ou, plutôt, révéla un mal durable et épidémique : le bovarysme !), elle refuse, par amour pour ses enfants, de suivre un séduisant étranger de passage.

Lorsque, bien des années plus tard, la mort de son époux la rend enfin libre, elle se rend compte qu'il est trop tard, que le seul homme qu'elle ait vraiment aimé est mort.

Dans les remerciements initiaux, l'auteur explique qu'il s'est livré à d'interminables remaniements. Que ces derniers aient ou non été consacrés au style de son ouvrage – que j'ai personnellement trouvé terne – je l'ignore.

Ce qui a conquis le public, c'est l'histoire, c'est la situation dramatique, c'est ce sacrifice d'une femme qui fait passer le bonheur de ses enfants avant le sien propre. (D'ailleurs une marque fréquente du héros classique, c'est qu'il se sacrifie pour une cause, pour un idéal, pour autrui : pense à Rick [Humphrey Bogart] dans *Casablanca*, qui laisse partir la femme qu'il aime parce qu'il est dangereux pour elle de rester dans une ville occupée, et parce que la cause de Laszlo, son mari, lui paraît plus importante que son amour.)

Si certains héros (ou héroïnes) sacrifient leur amour à une cause qui leur paraît plus élevée (enfants, patrie, mari malade mais méritoire), la situation opposée peut, elle aussi, être une grande source d'identification chez le lecteur : c'est celle qui consiste, pour le héros, à tout sacrifier (et parfois à tout perdre : famille, position, honneur) pour l'amour. Le lecteur a souvent éprouvé cette tentation, ce désir secret de céder à une passion dévorante, mais la morale, mais la crainte l'en a empêché : à travers le héros audacieux, il vit par procuration ses passions réfrénées.

Donc, chaque fois que tu peux – et tu le peux presque toujours –, rends ton héros amoureux. Jamais le public ne te le reprochera. (En revanche, il te reprochera souvent de ne l'avoir pas fait !)

Les possibilités sont nombreuses, de même que les combinaisons que tu peux faire. Tout a peut-être été dit... mais pas par toi ! Et pas à ta manière. Et puis chaque époque fournit des situations nouvelles.

Ce que tu dois garder constamment en tête, peu importe la situation, c'est... l'OBSTACLE.

Il est ton plus précieux allié. Sans lui, il n'y a pas d'histoire d'amour possible.

Ton héros (ou ton héroïne) peut être amoureux d'une femme mariée... Ce qui serait banal, surtout aujourd'hui, à moins que cette femme ne soit mariée à son patron et que la découverte de leur liaison ne compromette sa situation.

Il peut être amoureux d'une femme plus âgée, ce qui est réprouvé socialement, surtout si cette femme est l'amie de ses parents, et la mère de sa fiancée *(The Graduate)* ! Enfin, les combinaisons sont illimitées, et je n'en dresserai pas ici la liste. L'important est que tu retiennes le principe de l'obstacle.

ARTICLE DEUXIÈME :
LE HÉROS A SUBI UNE INJUSTICE.

Il a été trahi, accusé injustement, ridiculisé, violé, déshonoré, floué par une grande compagnie, le gouvernement, un partenaire, lésé par ses frères dans un héritage. Les exemples de ces situations sont innombrables, autant en littérature qu'au cinéma.

En fait, dans presque un film américain sur deux, le héros a subi une injustice, la plupart du temps au début de l'histoire, qui se transforme alors en une intrigue de vengeance, un type d'intrigue un peu primitif, j'en conviens, et qui fait appel à des émotions humaines qui ne se rangent pas parmi les plus raffinées, mais qui semble faire les délices du public.

(*Le Fugitif* : dans le film, l'injustice est d'autant plus terrible, et par conséquent le héros d'autant plus attachant, que c'est la femme du héros qui est assassinée, et qu'il est ironiquement accusé de son meurtre.) Oui, la vengeance semble exercer une fascination inépuisable et renaît constamment de ses cendres, comme si chaque lecteur, chaque spectateur aimait se venger par procuration de toutes les injustices qu'il a subies, et qui sont demeurées apparemment impunies parce que la vie est un scénariste, un romancier moins complaisant.

Vois *Carrie*, de Stephen King : bafouée, une adolescente utilise ses pouvoirs paranormaux pour se venger.

Le Comte de Monte Cristo, de Dumas, qui fut tant de fois adapté au cinéma, ce qui prouverait, s'il en était besoin, à quel point son intrigue initiale est opératoire chez les générations successives.

Manon des sources de Pagnol. Orpheline de son père qui est mort parce qu'on lui a caché la source sur sa terre, Manon se venge en bouchant la source qui alimente le village. Mais – et c'est une variante plus sophistiquée de la vengeance – elle pardonne à la fin le mal qu'on a fait à son père et rétablit la source. C'est la vengeance avec pardon, alors que la forme plus primitive est la vengeance implacable avec punition finale.

Parfois aussi, TON HÉROS, sans subir carrément une injustice, NE SE SENT PAS RECONNU À SA JUSTE VALEUR.

Artiste, il ne peut vivre de son art. Un collègue de travail ou un rival amoureux lui est préféré.

Inventeur, savant, il ne peut faire reconnaître ses découvertes.

Homme d'affaires ambitieux, il ne peut trouver le financement nécessaire à un projet, ou ses efforts ne sont pas couronnés de succès malgré son acharnement.

Ou encore, toujours dans le même registre, TON HÉROS SE SENT SEUL, RIDICULISÉ, REJETÉ.

Il peut être effectivement seul, ou se sentir seul dans son mariage, dans une union, dans une famille ou au bureau, dans un groupe qui ne le comprend pas ou le rejette pour toutes sortes de raisons : excentricité, originalité, génie, orientation sexuelle, race, religion, langue, infériorité économique...

ARTICLE TROISIÈME :
LE HÉROS EST ENDETTÉ, FAUCHÉ, POURSUIVI PAR SES CRÉANCIERS, AU BORD DE LA FAILLITE, IL VIENT DE PERDRE SON EMPLOI, UN PLACEMENT BOURSIER AUDACIEUX A ÉCHOUÉ.

Dans nombre de bons romans, dans nombre de films américains, le héros éprouve des difficultés chroniques ou provisoires avec l'argent, ce qui oriente souvent toute son action.

Facile de s'identifier à de tels personnages, parce que la majorité des gens sont endettés et éprouvent des ennuis financiers. Il n'est pas nécessaire du reste que ton héros soit endetté, mais il est important, je crois, que sa situation financière soit connue.

Un médecin que sa profession met à l'abri du besoin ne vit pas le même genre de problèmes qu'un homme qui vient de perdre son emploi et est aux abois financièrement. Il est plus facile de s'identifier au second qu'au premier. Et puis, connaissant des difficultés financières, ton héros est plus susceptible de faire des gestes qu'il pourrait regretter, qui vont peut-être à l'encontre de son code d'honneur, qui risquent de compromettre ses valeurs, et le forceront à accepter, par exemple, un pacte faustien, dont on voit tant d'exemples réussis dans la littérature et au cinéma. Tu hérites du même coup d'une situation riche en potentiel dramatique.

ARTICLE QUATRIÈME : LE HÉROS CONNAÎT UN CHANGEMENT DÉFAVORABLE DE SITUATION.

Catégorie fort vaste, à la vérité, et qui embrasse un nombre considérable de situations dramatiques. Il y a bien entendu des romans qui sont des chroniques d'une époque, des fresques ou de grandes sagas familiales. Mais les romans les plus prenants sont à mon avis ceux qui relatent une crise brève mais intense qui se pose au héros. Or, par définition, une crise est toujours un changement défavorable de situation.

Des exemples? Tu as bien entendu l'embarras du choix. Ne fais que regarder dans ta vie ou dans la vie de ceux qui t'entourent.

Voici ceux qui me viennent spontanément à l'esprit, et que tu as sans doute déjà répertoriés.

Le héros tombe malade, est accidenté, ou encore – variante fréquente – un être qui lui est cher tombe malade ou est accidenté. Divorce, séparation, rupture de fiançailles, mort de l'être cher, d'un parent, d'un enfant, avortement ou fausse-couche. Séparation amoureuse ou familiale imposée par les événements : le travail, la guerre, un long voyage. Échec d'un projet majeur, retraite prématurée non désirée.

ARTICLE CINQUIÈME : LE HÉROS VIT UN ÉVÉNEMENT HEUREUX.

Tu m'objecteras peut-être que cette catégorie est en contradiction avec la précédente. Mais, à la vérité, ces deux types d'événements aident à créer l'identification avec le héros, car ils décrivent des moments **émotivement puissants** dans la vie de ton personnage principal.

Évidemment, il ne saurait être question, sous peine d'ennuyer mortellement le lecteur ou le spectateur, de faire se succéder de manière trop systématique ces événements heureux. Mais ils permettent de préparer (par contraste) ou de ponctuer de manière excellente des moments malheureux, des moments de crise.

Voyons-en quelques exemples. Ton héros, donc, vit un événement heureux : demande en mariage, fiançailles, mariage (pense au *Parrain*, à *Quatre mariages et un enterrement*, au *Mariage de Figaro*, et à d'innombrables romans et films qui ont tiré profit de cet événement heureux dont rêvent tant de lecteurs, tant de spectateurs).

Autres événements heureux : lune de miel, anniversaire de mariage, grossesse (désirée, bien entendu), naissance, promotion, augmentation de salaire, héritage inattendu, gain à la loterie ou à la Bourse, gloire imprévue, retrouvailles fortuites ou longtemps espérées, départ pour des vacances, retour à la maison ou au pays après un long voyage, déménagement dans un bel appartement, achat d'une maison, d'une voiture, cadeau, fêtes familiales ou autres, comme Noël...

Il y en a d'autres, des événements heureux, certes; par exemple pour un jeune homme comme toi, le fait d'obtenir son diplôme universitaire ou pour ton héros inquiet celui d'apprendre de la bouche de son médecin qu'il ne souffre pas (ou que sa femme ne souffre pas) d'un cancer. Mais je crois que tu as maintenant l'idée générale. À toi, bon romancier en herbe, de les noter. Ou de les inventer !

Moi, je vais poser la plume pendant quelques heures. Dehors, la pluie a cessé, et le soleil perce entre quelques nuages roses et or dont la splendeur me touche au-delà de tous les mots. J'ai des fourmis dans les jambes, d'autant que je pars demain pour Florence et qu'il se passera peut-être des mois, voire des années, avant que je revienne à Portofino.

D'ailleurs qui sait si j'y reviendrai jamais ? Nous vivons toujours dans la banale illusion que nous sommes éternels puis un jour nous traversons distraitement la rue et nous nous faisons faucher par un automobiliste.

Donc, si tu permets, je vais profiter de mes dernières heures dans Portofino pour me griser de la beauté de son port. Je veux admirer une dernière fois, comme si j'étais sur mon lit de mort – et je le suis peut-être ! –, le vert subtil et troublant de ses platanes, je veux voir sa lumière, je veux engranger une ultime provision de cette beauté, que je mettrai dans ma modeste besace de voyageur solitaire pour affronter les jours moins brillants.

Et peut-être aussi – je te fais une confidence d'homme à homme – irai-je voir une dernière fois cette charmante caissière blonde et obtiendrai-je d'elle son adresse milanaise, car je me propose de remonter un peu plus tard vers le nord.

Dans ma prochaine lettre, je continuerai, si du moins je ne t'ai pas trop ennuyé jusqu'à présent, à énumérer les articles de mon petit *Traité de l'identification.*

D'ici là, réfléchis à ce que je viens de t'écrire et surtout, lorsque tu lis, lorsque tu vois un film, demande-toi pourquoi le héros t'est sympathique, pourquoi tu t'identifies spontanément à lui. (Ou pourquoi tu ne le fais pas !)

Comme je te l'ai suggéré dans une lettre précédente, il faut que tu t'observes lisant. Tu ne peux plus, si du moins tu veux exercer ce métier, te contenter de lire au premier degré, comme un lecteur ordinaire. Il faut que tu sois un laboratoire pour toi-même : c'est la meilleure manière de devenir savant dans l'art du roman.

Lettre 6

De l'identification du lecteur au héros (suite)

Florence, le 15 juin

Hier, je suis arrivé à Florence, et je me suis déniché une petite chambre au bord de l'Arno, d'où je peux voir le célèbre Ponte Vecchio. Le temps est très humide, écrasant à la vérité – ce qui est surprenant pour cette période de l'année. Et dire qu'il n'est que dix heures du matin !

En tout cas, cette canicule hâtive se prête mal aux longues promenades que j'affectionne tant, ce qui te favorise, cher neveu, car assis sous un ventilateur paresseux, je vais poursuivre tout de suite l'élaboration de mon petit *Traité de l'identification*.

L'hôtelière, une Florentine entre deux âges à qui je semble plaire beaucoup malgré ma politesse distante (elle me prend peut-être pour son fils !), vient de me servir un allongé qui doit fouetter mon inspiration. Elle a même insisté pour m'apporter des croissants frais que je lui ai pourtant refusés : elle me trouve d'une maigreur inquiétante (je suis pourtant loin de l'être !) et m'a répété, pour ne pas dire m'a intimé en quittant la chambre :

— *Mangia, mangia !*

Où en étions-nous ?

Ah oui ! nous avons vu que, heureuses ou malheureuses, nombre de situations peuvent aider à créer le lien indispensable entre le lecteur et le héros, car elles sont porteuses d'émotion. Maintenant, voyons ce qui peut également rendre ton héros attachant.

ARTICLE SIXIÈME : LE HÉROS A UN DÉFAUT PHYSIQUE OU MORAL.

PHYSIQUE : ton héros peut être petit, laid, maigre, gros, bossu, avoir un grand nez. Presque tous nous avons des défauts physiques. Réels ou imaginaires. Et il est donc aisé de s'identifier avec un héros – ou tout au moins de le trouver sympathique – dans lequel nous nous reconnaissons même si son défaut est exagéré à des fins dramatiques. Des exemples ? *Elephant Man*, *Le Bossu de Notre-Dame*, *Forrest Gump*, *Cyrano de Bergerac*.

MORAL : ton héros peut être maladroit, timide, complexé, jaloux (à tort ou à raison), distrait, nerveux, gaffeur, inquiet, gourmand, hypocondriaque... Il peut manquer de jugement, faire une erreur fertile en rebondissements dramatiques, qui conduit en général à ce qu'on peut appeler une intrigue imprudente, qui se modèle d'ailleurs sur les contes pour enfants dans lesquels le héros téméraire transgressait l'interdit parental pour s'aventurer hors de la maison dans les bois pleins de mystères et de dangers...

Le héros peut aussi être atteint d'un « trait de caractère » qu'on retrouve dans nombre d'œuvres : il peut en effet être simple d'esprit. Exemples : *Des souris et des hommes*, *Forrest Gump*, *Rain Man*.

ARTICLE SEPTIÈME : LE HÉROS POSSÈDE DES QUALITÉS EXCEPTIONNELLES.

Sans que ce soit une contradiction avec l'article précédent, le lecteur ou le spectateur peut s'identifier avec un héros doté de qualités qui sortent de l'ordinaire. Il trouve alors dans les caractéristiques remarquables du héros une satisfaction pour ainsi dire hallucinatoire. Il se voit et vit à travers ce héros qui possède une ou plusieurs de ces qualités qui lui font défaut.

Car il est beau, fort physiquement, sensuel, dynamique, intelligent, persévérant, spirituel, séduisant, anticonformiste, frondeur, fantaisiste, habile dans son travail, riche, intense, puissant socialement et aujourd'hui, de plus en plus, doué de pouvoirs paranormaux. Oui, autant de qualités chez un héros auquel on s'identifie par admiration inconsciente.

ARTICLE HUITIÈME : LE HÉROS A PEUR.

Il se sent menacé physiquement et peut-être de mort. Une héroïne éprouvera la crainte d'être violée, la crainte de perdre son enfant, la crainte d'une interruption forcée ou accidentelle de grossesse, la crainte de ne pas porter un enfant en santé. Le héros – homme ou femme – a peur de perdre son intégrité, sa liberté, sa fierté, sa lucidité.

Le héros se rend compte qu'il est l'objet d'une conjuration, d'une menace diffuse ou réelle. Un homme découvre que sa compagnie ou une organisation veut l'utiliser à des fins peu honorables qui le compromettront. Notion américaine fréquente : *« You've set me up ! »*. « Tu m'as piégé ! » (ex. : *La Firme*, de John Grisham).

Une femme se rend compte que son mari veut l'éliminer pour toucher une prime d'assurance.

Un homme découvre que sa femme veut le faire tuer pour hériter de sa fortune et recouvrer sa liberté. La peur est un sentiment universel des plus primitifs, car il est relié à la crainte de la mort, qui est la crainte la plus puissante chez l'homme. L'identification est immédiate.

ARTICLE NEUVIÈME : LE HÉROS RENCONTRE DE L'OPPOSITION.

Sa famille, ses amis, son partenaire s'opposent à sa vocation, à un mariage, à un projet. Tout le monde un jour ou l'autre – ou tous les jours – fait face à de l'opposition... Il n'y a rien de facile dans la vie. Un héros qui obtient tout facilement nous agace rapidement, et en tout cas ne nous paraît pas très réaliste. D'ailleurs c'est une loi quasi incontournable que tu dois respecter comme romancier ou scénariste : « Rends la vie difficile à ton personnage principal ! » Mets-lui constamment des bâtons dans les roues ! Contrarie ses projets avec des obstacles d'importance croissante, et réserve-lui l'épreuve suprême pour la fin.

ARTICLE DIXIÈME :
LE HÉROS CHERCHE UN SENS À SA VIE.

Le héros a tout mais seulement en apparence, car il n'est pas heureux. Il ressent un vide intérieur que l'histoire permettra de résoudre. Des variantes sont les situations où le héros traverse la crise du milieu de la vie ou une crise dans son mariage. Où le héros se sent mort intérieurement, a perdu ses illusions, ses rêves...

mauvais = héros comblé de partout

ARTICLE ONZIÈME :
LE HÉROS FAIT PREUVE DE COMPASSION.

Il aime les animaux, les démunis, les êtres faibles, les vieillards, les malades et il est souvent un justicier qui redresse les torts. Il est même prêt à sacrifier sa vie pour aider son prochain, ce qui est le signe ultime du héros. Il y a en chacun de nous un justicier qui dort, qui n'ose pas s'exprimer, par égoïsme ou lâcheté. Nous nous identifions au héros qui ose faire triompher la justice ou au moins s'y essaie. Dans un monde matérialiste et égoïste, on s'identifie facilement à pareil personnage, qui nous émeut car il nous rappelle l'idéal évangélique.

ARTICLE DOUZIÈME :
LE HÉROS SE SENT COUPABLE.

Tout le monde (depuis Adam !) a une faute à expier, éprouve un remords pour un geste malheureux qu'il a fait et dont les conséquences dans sa vie sont considérables. Certains lecteurs s'identifient aisément à un personnage rongé par la culpabilité et qui cherche sa propre rédemption.

ARTICLE TREIZIÈME : LE HÉROS EST CATAPULTÉ DANS UN MILIEU NOUVEAU.

Cette situation est un puissant ressort de l'identification et aussi du comique. On la retrouve dans d'innombrables romans (romans d'apprentissage entre autres) et dans des milliers de films (*E.T.*, *Tootsie*, *Pretty Woman*).

Robinson Crusoé est sans doute un lointain modèle de ces situations que les Américains appellent, fort justement, *«fish out of water»* (un poisson hors de son bocal), dont le héros naufragé se retrouva sur une île déserte, forcé de réinventer sa vie. Parachuté dans un milieu nouveau dont il ignore les règles et les coutumes, le héros se retrouve forcément démuni, donc vulnérable, et sa naïveté, sa maladresse nous le rendent presque automatiquement sympathique.

Le spectacle de son apprentissage (presque toujours maladroit, du moins dans les débuts) semble constituer une source de satisfaction (et de comique) intarissable pour le lecteur. Peut-être parce que ce dernier se sent en position supérieure et se compare favorablement à ce héros démuni.

En outre, cette situation te permet de faire, à travers les yeux virginaux de ton héros, une satire du milieu dans lequel tu le projettes brusquement, ce qui n'est pas un mince bénéfice pour un romancier ou un scénariste.

Une chose est certaine, chaque fois que tu peux propulser ton héros dans un milieu nouveau, fais-le, ton lecteur t'en saura gré. D'ailleurs c'est souvent une manière fort efficace de donner du relief à une histoire qui autrement resterait terne. Pour donner du piquant par exemple à une histoire d'amour, imagine que les deux amants sont de milieux – et de races – différents et, comme par enchantement, toute une pluie d'obstacles féconds viendra à ta rescousse.

Voilà, c'est à peu près tout, il me semble. Je sais qu'il y a d'autres situations qui peuvent créer l'identification, mais elles ne sont souvent que des variantes de celles que je viens d'énumérer et qui du reste sont déjà bien assez nombreuses. Si nombreuses d'ailleurs que, comme je t'en prévenais plus tôt, cher auteur en herbe, elles semblent embrasser presque tout le spectre des émotions et des situations humaines. Si bien que, me targuant d'avoir tout dit sur la question, je me retrouverais à n'avoir rien dit du tout, comme un médecin inquiet et maladroit qui recommanderait à son malade tous les remèdes de la pharmacopée universelle de crainte de ne pas le guérir, et qui le tuerait du même coup.

Et pourtant, et pourtant, comme je te l'écrivais plus tôt, j'ai lu hélas ! des centaines de romans – et pas toujours de débutants – qui me tombaient des mains au bout de dix pages parce que l'auteur ne recourait à aucune de ces situations, à aucun de ces adjuvants de l'identification.

Je suis conscient par ailleurs que le roman n'est pas un art mécanique, que tu ne peux pas t'asseoir à ta table de travail et te dire : « Voilà, ce matin, je vais créer un héros inoubliable, je vais prendre le petit traité que mon oncle vient complaisamment de me faire parvenir, et je vais saupoudrer ma création des articles un, trois, sept et dix ! »

Si tu aboutissais à cette conclusion et surtout à cette désolante méthode, j'en serais infiniment chagriné et ton héros ne serait jamais autre chose qu'une pathétique – et surtout inefficace – marionnette. Il faut que tes personnages jaillissent de tes tripes, qu'ils se nourrissent de ton sang si tu veux que le lecteur, que le spectateur s'y intéresse, et surtout s'y attache.

Mais parfois, le chaos romantique qui préside à tes créations n'est pas suffisant. À la relecture, il te semble que ton « irrésistible » héros pourrait gagner en profondeur, en humanité.

Tu peux presque toujours enrichir un personnage, même sorti tout fumant de tes ténèbres.

Rends-le amoureux, par exemple, donne-lui des ennuis financiers ou ce petit défaut – énorme à ses yeux – qui le rend humain, trop humain, pour utiliser la magnifique expression de Nietzsche.

Les génies, les grands auteurs le font naturellement, ou en tout cas ont si bien observé la nature humaine qu'ils savent créer des personnages dans lesquels nous nous reconnaissons spontanément. Mais le génie comprend intuitivement, sans l'avoir jamais appris, ce que nous, modestes mortels, mettons des années à simplement entrevoir.

Alors n'hésite pas à puiser dans ma vieille expérience. Et puis un jour, tu créeras spontanément des héros qui seront dès le départ attachants et tu auras gagné la moitié de la partie. Tu auras depuis longtemps oublié ce que je viens de te dire et pourtant tes héros auront l'air de s'en souvenir, qui sembleront vivre de leur vie propre et que le lecteur, lui, n'oubliera pas. C'est la magie de la création lucide : car savoir, c'est oublier.

Ah oui ! je voudrais te faire une dernière remarque, cher neveu. Dans les douze articles qui constituent le petit *Traité de l'identification* que j'ai élaboré sans prétention pour toi, il y a sûrement des articles qui auront plus que d'autres retenu ton attention. Ils te « parlent » pour ainsi dire. C'est tout à fait naturel, et c'est le signe que tu auras plus de succès en créant des personnages qui posséderont les qualités ou vivront des situations dramatiques que tu as trouvées dans ces catégories.

Moi, par exemple, sans que je sache vraiment pourquoi, je me sens presque invariablement à l'aise avec des personnages qui ont subi une injustice, des personnages dont la valeur n'est pas reconnue. C'est peut-être tout simplement que, étant auteur, il m'a fallu sacrifier vingt ans de ma vie avant de pouvoir vivre de ma plume. Heureusement que j'ai commencé fort jeune !

Mais je ne veux pas décourager trop ta juvénile ardeur en te laissant entrevoir le spectre d'un interminable apprentissage. D'ailleurs, qui sait ?, peut-être mes conseils te feront-ils gagner quelques années de labeur, si du moins il est possible d'apprendre par l'intermédiaire d'un autre ce qu'on doit en général apprendre par soi-même, à la dure école de la Vie. Mais si tu es perspicace, si tu es rusé (machiavélique, ai-je envie de dire), tu y parviendras, j'en suis convaincu.

Bon, maintenant, je prends congé de toi. Dehors, il fait encore chaud, si j'en juge par le pas fort mesuré des touristes et par la main accablée qu'ils portent constamment à leur front humide. Mais une obsession est revenue trotter dans ma tête de voyageur impénitent.

Tout le monde me vantait la splendeur de Florence. Or, à mon premier voyage, l'année dernière, je confesse que je ne l'ai pas trouvée aussi belle que je m'y attendais : mon anticipation était-elle trop grande ?

Devant l'église Santa Croce, qui laissa l'auteur de *La Chartreuse de Parme* si ému qu'il fut incapable de marcher, malaise devenu célèbre sous le nom de « mal de Stendhal », je suis resté de marbre, si tu me passes ce mauvais jeu de mots.

D'ailleurs j'ai éprouvé la même indifférence étonnée devant les célèbres marbres verts et roses du Duomo, puisque ses murs m'apparaissaient noirs... de crasse !

Oui, je sais, c'est un véritable sacrilège, dont je me console à peine en sachant que Venise la magnifique a elle aussi laissé indifférents des auteurs, d'ailleurs plus célèbres que moi.

Mais quelle est cette obsession qui me tenaille ?

C'est simplement de découvrir comment il se fait que Florence ne me plaît pas davantage. Florence qui a été le berceau de la Renaissance, qu'ont habitée le grand Léonard de Vinci, Michel-Ange, Dante, Machiavel (tiens, encore lui !) et tant d'autres artistes remarquables attirés entre autres par les puissants Médicis, protecteurs des Arts...

Souvent, je m'assois à la terrasse d'un café, sur une piazza, et je reste à ne rien faire, si ce n'est à observer les passants et surtout à attendre cette illumination qui me fera redécouvrir Florence...

Florence la lumineuse...

Florence la belle...

Telle qu'elle fut jadis...

Lettre 7

Le jeu des combinaisons

Florence, le 16 juin

Hier, las d'attendre une illumination qui ne venait pas, j'ai quitté la terrasse du café où j'étais assis depuis une demi-heure, piazza della Signoria, et, malgré la chaleur, j'ai décidé de marcher. Une brise imperceptible et pourtant fort bienvenue s'était levée, qui rendait ma promenade moins pénible. J'ai regagné l'Arno, ai marché jusqu'au Ponte Vecchio que j'ai traversé d'un pas assez vif sans m'attarder aux innombrables échoppes des orfèvres.

Si j'avais réussi à obtenir l'adresse milanaise de la petite caissière que j'avais rencontrée à Portofino, je me serais peut-être laissé tenter par quelque bijou que je lui aurais expédié avant mon arrivée à Milan, où je compte séjourner la semaine prochaine.

Mais lorsque je suis arrivé au petit tabac où elle travaille, j'ai appris que c'était son jour de congé, et je n'ai pas insisté. C'est dans doute mieux ainsi : on ne force pas le destin.

De l'autre côté du fleuve, je me suis dirigé vers le jardin de Boboli, célèbre s'il en est, et que je n'avais pas eu la chance de visiter lors de mon premier voyage.

Mais j'avais à peine fait cent pas que je fronçai les sourcils : il n'y avait ni fleurs ni arbustes ! Quelques statues, quelques fontaines, des bancs de pierre, mais de fleurs : point ! Or pour moi, jardin a toujours été synonyme de fleurs, d'autant que, sans être exorbitant, le prix d'entrée dans ce jardin était tout de même substantiel.

Mais peut-être les fleurs se trouvaient-elles dans une autre section... Je me suis empressé de m'en informer auprès d'un guide qui a paru s'étonner de ma question.

— Mais il n'y a pas de fleurs, monsieur, c'est un jardin italien !

Il a dû me prendre pour un véritable béotien ! Je me suis dirigé sans demander mon reste vers la fontaine la plus célèbre du jardin, où il y avait de l'eau – quand même ! – et des statues, et je me suis assis sur un banc.

Là, sans trop savoir pourquoi, j'ai pensé : « Il y a des centaines d'années, un Florentin s'est assis ici, sur ce même banc, et ce Florentin qui a aimé, qui a eu des soucis, des rêves, des amis, des enfants, une vie en somme, est maintenant mort. Et moi, je vis aujourd'hui, et demain aussi je serai mort, tout comme lui, et un autre touriste, ou un autre Florentin viendra s'asseoir sur ce banc où je me suis assis pensivement. »

Mon front était en sueur, pas tellement en raison de ces pensées que, dans ta jeunesse, tu trouveras peut-être morbides. (Elles me viennent souvent et ne me dépriment pas mais me font au contraire apprécier davantage la vie, en raison de sa brièveté même ! D'ailleurs, tu le sais maintenant, l'ayant appris de la plus dure des manières, en perdant ton père...) Non, je transpirais assez abondamment parce qu'il m'avait fallu gravir quelques marches pour me rendre à cette fontaine fameuse.

Mais la brise continuait à souffler et j'éprouvais un grand bien-être. Je me suis dit : « Profitons-en pour réfléchir à mon roman ! » J'ai tiré de mon sac de voyage le carnet de notes dont je ne me départis jamais, mais rien ne me venait.

Alors j'ai pensé à toi, cher neveu, j'ai pensé à ce que je t'avais dit la veille. J'ai pensé que je ne t'avais pour ainsi dire pas donné la preuve de ce que j'avançais avec une assurance qui t'a peut-être paru outrecuidante.

Oui, je me suis dit : il faudrait le convaincre que mon *Traité de l'identification* a une certaine valeur.

Car que vaut un traité, aussi savant, aussi brillant fût-il, s'il ne résiste pas au test de la réalité ?

Donc, prends une plume (moi, je ne réfléchis bien que la plume à la main ou devant mon clavier, sinon je n'ai que des idées) et livre-toi au petit exercice suivant, qui je l'espère sera concluant.

Assemble en esprit les articles suivants de mon petit traité sans prétention.

1. LE HÉROS EST AMOUREUX.

2. LE HÉROS N'EST PAS RECONNU À SA JUSTE VALEUR.

6. LE HÉROS A UN DÉFAUT PHYSIQUE, deux en fait, car il est laid, ou du moins se trouve laid (ce qui souvent revient au même, hélas !), et il a dans le visage un défaut fort visible sur lequel je ne te donne pas davantage de précision, car il est trop célèbre pour que tu ne le reconnaisses pas immédiatement.

7. LE HÉROS POSSÈDE DES QUALITÉS EXCEPTIONNELLES ; dans l'exemple auquel je pense, je dirais

que le héros a de l'esprit, et il est frondeur, il a du panache, pour employer sa propre expression.
9. LE HÉROS RENCONTRE DE L'OPPOSITION. Son amour n'est pas payé de retour, il a un rival terrible, car il est beau alors que lui se trouve laid.

Oui, assemble en esprit toutes ces qualités, et tu aboutis à un des personnages les plus célèbres de la dramaturgie française.

L'as-tu reconnu ?

Si je te dis que son défaut le plus apparent a donné lieu à l'une des tirades les plus célèbres de notre littérature ?

Oh, je t'en ai déjà trop dit : tu as reconnu Cyrano de Bergerac, le très attachant héros de Rostand !

Bien entendu, Rostand n'a jamais lu les lettres que je t'adresse. Et pourtant – et ce ne peut être seulement un hasard – son héros possède plusieurs des traits que j'ai énumérés dans mon petit traité. Cyrano n'aurait pas été aussi attachant, aussi célèbre, si son nez n'avait pas été aussi long, et si lui-même n'avait pas été follement amoureux, sans succès d'ailleurs, ce qui est capital, tu le sais maintenant depuis que tu connais l'importance de l'Obstacle dans une sous-intrigue amoureuse.

D'autres exemples ?

Prends un des plus beaux personnages de Pagnol, Jean de Florette. (Si tu ne le connais pas, lis le roman ou vois le film...)

Voyons si ce personnage haut en couleur correspond à quelques articles de mon modeste traité.
2. LE HÉROS A SUBI UNE INJUSTICE, dont il n'est d'ailleurs pas conscient, ce qui le rend d'autant plus attachant et supprime d'office toute velléité de vengeance

– la vengeance (avec pardon final) sera en fait assurée par sa fille, Manon des sources.

Cette injustice est d'ailleurs au centre même de l'histoire, car ses rivaux, les Soubeyran, pour dévaloriser sa terre et pouvoir un jour la lui racheter à vil prix, ont délibérément bouché la seule source qui lui aurait permis de cultiver avec succès ses terres sous le soleil implacable du Midi.

3. LE HÉROS EST ENDETTÉ. En fait, il dépense toutes ses économies, tout l'héritage de sa mère pour réussir son élevage de lapins et vivre du produit de sa terre mal irriguée.

4. LE HÉROS CONNAÎT UN CHANGEMENT DÉFAVORABLE DE SITUATION. Surmené, il tombe malade.

6. LE HÉROS A UN DÉFAUT PHYSIQUE OU MORAL. Il est bossu. On l'appelle d'ailleurs le bossu. Il est également simple d'esprit. À la vérité, c'est ici une variante du simple d'esprit. Instituteur, il n'est évidemment pas un véritable simple d'esprit, comme le traditionnel idiot du village. Mais son idéalisme, sa mentalité de citadin égaré à la campagne en fait un simple d'esprit aux yeux des paysans. D'ailleurs le vieux Soubeyran, le Papet, le traite de fada, ce qui veut dire simple d'esprit chez les Provençaux.

13. LE HÉROS EST CATAPULTÉ DANS UN MILIEU NOUVEAU. Il vient en effet de la ville, où il exerçait la profession d'instituteur, et il arrive à la campagne comme un débutant, avec toutes sortes de théories compliquées sur l'agriculture et l'élevage « scientifique » des lapins.

Si tu fais le compte, tu verras que, dans son génie, qui est immense, Pagnol a utilisé six des douze ressorts d'identification dont j'ai dressé la liste. Je ne crois pas qu'il l'ait fait systématiquement, ni même délibérément. Mais, comme je te l'ai déjà dit, je crois que les grands auteurs le font naturellement, car ils ont accès intuitivement à ce que Jung appelait l'inconscient collectif, où toutes nos peurs, nos rêves, nos désirs sont entassés.

D'ailleurs si tu y réfléchis un peu, tu verras que ces différents ressorts de la sympathie sont applicables non seulement aux personnages de roman et de cinéma, mais aussi aux êtres réels.

Bon, avant de terminer cette remarque, je veux que tu prennes quelques minutes pour réfléchir à l'importance de l'identification. Sans un héros sympathique, réussir un roman – réussir n'importe quelle histoire, en fait – est un exploit quasi impossible.

Pourtant, s'il est nécessaire, le « ressort sympathique » n'est pas suffisant. Encore faut-il que ton développement dramatique soit réussi ! Si tu as les deux, tu n'aboutiras pas nécessairement à une bonne histoire, mais tu multiplieras tes chances de succès romanesque.

Écrire un bon roman est une entreprise si périlleuse, si hasardeuse que tu ne devrais jamais négliger d'emporter dans ta besace toutes les provisions que tu pourras.

Lettre 8

De l'utilité d'un plan

Pise, le 18 juin

Hier, désireux de voir sa célèbre Tour, j'ai décidé d'aller déjeuner à Pise. Mais j'ai eu beau suivre les indications, chaque fois je me retrouvais au beau milieu de nulle part, comme on dit.

Je me suis arrêté, j'ai demandé à un Pisan de me guider. Il s'est contenté de faire un geste dans la direction que j'avais empruntée, et de décréter distraitement :

— *Non è lontano, non è lontano !*

Bon, pas loin ! Je me suis remis en route, rempli d'un espoir nouveau, guettant attentivement la route pour ne pas rater un de ces panonceaux où figure un dessin stylisé de la Tour inclinée avec le nombre de kilomètres qui la séparent du voyageur impatient.

Deux fois, malgré mon attention quasi maniaque, j'ai raté la Tour et je suis revenu à mon point de départ. Finalement las, et surtout l'estomac dans les talons, j'ai décidé de renoncer à voir le monument célèbre et j'ai foncé vers le centre-ville de Pise, si du moins on peut parler d'une telle chose dans le cas de Pise.

Assis à une terrasse de ce qui m'a paru être la place centrale de la ville, devant une pizza excellente subtilement arrosée d'une huile fine dont les Italiens ont le secret, je me suis dit que j'aurais dû apporter mon guide, qui contient le plan de la plupart des villes, et que de cette manière je n'aurais pas pu rater la Tour, que je ne verrai peut-être jamais, en raison de ma négligence et aussi, je l'admets, de mon manque de persévérance.

Je dois dire à ma décharge que Pise n'est pas Venise, que nombre de ses quartiers sont sinistres, que je n'irais certainement pas là en voyage de noces et que je me suis rapidement lassé d'y tourner en rond.

Oui, un plan m'aurait été utile...

À toi aussi, cher neveu, il sera utile, surtout dans les débuts, si tu veux voir la tour de Pise, je veux dire si tu veux mener à terme ton roman... Je sais que deux écoles de pensée s'opposent à ce sujet.

Certains – et pas des moindres – ne s'embarrassent pas d'un plan et préfèrent se reposer sur leur seule inspiration. Simenon, par exemple, se contentait de noter le nom de ses personnages sur une enveloppe jaune – c'est du moins ce que rapporte la légende – puis se mettait hardiment au travail et accouchait de la plupart de ses romans en quelques jours. La méthode lui a réussi, c'est le moins qu'on puisse dire, car il fut un des écrivains les plus féconds de son époque. Comme un équilibriste sans filet, Bessette dédaignait le plan, préférant s'en remettre à sa fantaisie inépuisable et, il faut le dire, à un instinct et à un sens du récit fort sûrs.

Mais je crois que, autant il faut admirer les grands romanciers – dont les moyens et l'expérience sont considérables – autant il faut se méfier de leur méthode, qui ne convient pas nécessairement à un débutant, aussi doué soit-il.

Pour tes premiers pas, je crois que tu devrais davantage t'inspirer de l'humilité de Dostoïevski qui fit huit versions du plan de *L'Idiot*. Oui, pas une, pas cinq, mais bien huit versions du plan de ce chef-d'œuvre immortel ! Et on dit que ce n'est qu'à la dernière version que la silhouette de l'idiot se dégagea et que le célèbre écrivain russe eut enfin la vision de son livre. Hubert Aquin, lui aussi, qu'on pourrait soupçonner d'improvisation, était un admirateur profond de Flaubert, et tout comme lui établissait un plan détaillé de ses romans.

Si tu éprouves certaines réticences à te plier à cette discipline, si tu crains qu'un plan ne soit un carcan pour ton inspiration, dis-toi que tu peux en changer en cours de route, surtout si tes personnages t'entraînent dans une direction nouvelle, à tes yeux supérieure à celle que tu avais imaginée au départ.

Un plan comporte à mon avis nombre d'avantages. Voici ceux qui me sont venus spontanément à l'esprit alors que, sur la terrasse de cette place pisane, un suave cappuccino me tenait lieu de dessert et me consolait de mes déboires de voyageur.

1. Ton plan, même approximatif, même provisoire, a un avantage indéniable, peut-être le plus important de tous : c'est pour ainsi dire l'assassin de tes illusions romanesques, mais un assassin utile, un assassin bénéfique.

Il te révèle en effet si tu as vraiment une histoire, ou si tu n'as dans ta valise de romancier naïf que quelques scènes, peut-être charmantes, peut-être touchantes, mais au fond décousues et que tu ne peux organiser en un tout dramatique, ce qui est essentiel. C'est pour cette raison qu'il est impossible de faire le plan d'un poème et que, si tu as une bonne histoire en tête, tu n'éprouveras pas trop de difficulté à en jeter les grandes lignes sur le papier.

2. Ton plan te permet de déterminer à l'avance quels seront les grands moments dramatiques, les revirements, le dénouement de ton histoire et, par conséquent, le type d'intrigue auquel tu vas recourir. Mais sache d'entrée de jeu que si ton histoire finit mal tu auras forcément un type d'intrigue différent que celui qu'appelle un dénouement heureux.

3. Ton plan t'évitera souvent – mais pas toujours bien entendu – d'écrire inutilement des chapitres ou des scènes que tu devras supprimer plus tard, souvent à regret. Car en établissant ton plan, tu obéiras à cette loi dramatique qui est sévère mais nécessaire : tout ce qui peut être enlevé doit l'être ! Comprends-moi bien : je ne veux pas dire que tu doives éliminer toute fantaisie, au contraire. Mais si une scène – ou même un chapitre – ne fait pas avancer l'action, ne permet pas de mieux découvrir ton personnage principal, elle est probablement inutile et ton roman gagnera si tu la fais disparaître, peu importe la peine qu'elle t'a coûtée, le soin que tu as mis à la fignoler.

4. Ton plan, s'il est bien fait, si sa structure dramatique est réussie, te permet aussi de voir si tu a omis des scènes obligatoires.

Qu'est-ce qu'une scène obligatoire ?

C'est en gros une scène sans laquelle ton développement dramatique ou la vraisemblance de ton récit souffrirait grandement et que par conséquent tu dois écrire.

Un exemple ?

Imagine que ton héroïne soit abandonnée par son fiancée. Si tu omets une scène où on voit l'effet de la rupture sur elle, en d'autres mots si tu négliges de la faire pleurer, ou au moins de la faire confier son désarroi ou sa colère à sa meilleure amie ou à sa mère, tu as sans le savoir oublié une scène obligatoire.

Et si tu ne t'en rends pas compte, ton éditeur ou – si ce dernier est négligent – tes lecteurs le verront et t'en feront le reproche. De même si pendant tout ton roman deux frères couvent une rivalité, tu dois obligatoirement aboutir à une scène où ils s'affronteront et régleront d'une manière ou d'une autre ce conflit larvé.

Un dernier exemple ?

Si dans ton roman l'héroïne découvre l'infidélité de son mari, tu devras forcément imaginer une scène où elle l'affrontera ou se vengera. Si ton habileté dramatique – soutenue par ton plan ! – est ce qui te permettra de ne jamais omettre de scène obligatoire, c'est ta fantaisie, ton talent qui, en revanche, t'aideront à rendre ces scènes originales et fraîches.

Car n'oublie pas que, si ces scènes sont obligatoires, c'est que le lecteur s'y attend : si tu as été habile, tu as créé en lui une attente. Tu dois donc lui donner cette scène, mais aussi le surprendre en la lui donnant, ce qui est d'ailleurs une règle valable dans toute bonne histoire : donne au lecteur ou au spectateur ce qu'il attend, mais d'une manière différente de ce qu'il attendait.

5. Ton plan te permet de régler à l'avance les problèmes de structure et d'intrigue du fait que tu as décidé de la fin et de tout ce qui doit y conduire.

6. Ton plan te permet de déterminer à l'avance le rôle de ton personnage principal et surtout de tes personnages secondaires. Quel est leur rôle dans l'action ? Comment feront-ils avancer l'intrigue ? Un personnage secondaire qui ne fait pas avancer l'intrigue n'est en général pas nécessaire.

7. Ton plan te permet d'établir à l'avance quel est le sujet de ton roman ou, si tu préfères, quelle en est la prémisse. Mais qu'est-ce au juste que la prémisse ? C'est cette vérité philosophique ou spirituelle jamais nommée mais que chaque scène prépare subtilement, discrètement, et que le dénouement de ton histoire vient illustrer.

Quelle est par exemple la prémisse de *Roméo et Juliette*? C'est que la haine conduit à la destruction. La rivalité des Montaigu et des Capulets conduisit en effet à la mort de leurs enfants.

Tu vois ?

Maintenant dis-moi, quelle est à ton avis la prémisse des *Liaisons dangereuses* de Choderlos de Laclos ? (Je te rafraîchis la mémoire : si tu te souviens, c'est l'histoire d'un séducteur impénitent qui fait le pari qu'il peut séduire une jeune femme pour s'amuser. Il lui tient faussement le langage de l'amour, elle tombe dans le piège habilement tendu, mais lui aussi, contre toute attente, et au désespoir de sa vieille amie avec qui il a fait ce cynique pari, il tombe finalement amoureux de sa victime, trop tard, car elle meurt d'amour. Désespéré, il se laisse tuer en duel.)

Quelle est donc la prémisse de cette œuvre qui a survécu au temps – en raison même de cette prémisse profonde, d'ailleurs – car récemment, plus de deux cents ans après sa publication en 1782, une pièce de théâtre et un film en furent tirés qui connurent un grand succès : lorsqu'on tend un piège à quelqu'un, bien souvent on y tombe soi-même.

Une autre œuvre dont la prémisse est sublime, c'est celle d'un petit conte génial de Maupassant : *La Parure*. Comme il est moins connu que les exemples précités, je vais t'en résumer l'histoire.

Invitée à un bal, une femme aux moyens modestes emprunte à une amie fortunée un collier qu'elle perd à la fin de la soirée. Catastrophée, et ne voulant pas dire à son amie qu'elle a perdu cette magnifique parure, elle endette lourdement son ménage pour en acheter une autre qu'elle remet, soulagée, à son amie, qui ne s'aperçoit heureusement pas de la substitution.

Plusieurs années plus tard, vieillie par les soucis et s'étant usée au travail pour rembourser son énorme dette, elle revoit son amie et ose enfin lui avouer la supercherie. Elle apprend alors, ahurie, que le collier de son amie n'était qu'un faux sans valeur !

Quelle leçon nous enseigne, sans jamais la nommer, cette très belle histoire de malentendu tragique ? C'est bien entendu que, par ignorance, nous perdons souvent notre vie pour des choses qui n'en valent pas la peine.

J'ajouterai ceci : tu ne parviendras pas toujours à écrire des œuvres qui contiennent une prémisse belle et profonde. Mais chaque fois que tu le pourras, tu feras à mon avis une œuvre plus valable. Et une œuvre aussi qui survivra aux traductions car ce qui la portera, c'est

prémisse = morale

justement cette vérité philosophique ou spirituelle, et non pas l'humour de tes dialogues, et non pas la splendeur de ton style, souvent difficilement traduisibles.

Bon, je crois que voilà suffisamment de matière à réflexion pour une seule lettre. Je ne peux évidemment te forcer à faire un plan de ton premier roman. Chacun écrit comme il veut – ou comme il peut, ai-je envie de dire – suivant sa nature.

Pourtant tu devrais tenter, ne serait-ce que pour te convaincre que cette méthode ne te convient décidément pas, de te plier à cet exercice qui peut s'avérer un révélateur puissant et utile de l'histoire que tu as – ou que tu crois avoir !

Ce n'est pas une chose assurée, mais il se peut bien que, si tu n'as pas d'histoire, tu t'en rendes compte dès la tentative que tu feras d'en établir le plan. Mieux vaut, crois-moi, s'en rendre compte à ce stade-là, parce qu'ensuite on s'obstine à trouver de la valeur à un roman qui n'en a pas.

Lettre 9

Des questions à se poser avant de plonger

Pise, le 19 juin

Hier, je m'apprêtais à quitter Pise sans trop de regret – car si j'avais raté la Tour célèbre, je t'avais en revanche écrit une lettre utile – lorsqu'un phénomène inattendu se produisit, qui retarda mon départ. Une prodigieuse nuée d'oiseaux envahit soudain la place centrale, ses trottoirs, ses arbres, ses bancs.

Il devait y en avoir des milliers, pour la plupart de banals moineaux : mais leur nombre les rendait extraordinaires. J'en suis resté saisi, comme devant un phénomène surnaturel.

Il m'a semblé du reste que pareille invasion céleste était de bon augure pour un romancier : l'oiseau n'est-il pas le symbole de l'idée ? D'ailleurs comme par une coïncidence inouïe, moi qui croyais t'avoir tout dit sur le plan du roman, voilà que je fus subitement envahi d'un flot de questions que tu devrais te poser avant de te mettre à écrire. J'ai commandé un deuxième cappuccino, et je me suis empressé de noter les idées suivantes.

1. QUI EST MON PERSONNAGE PRINCIPAL ?

Question banale en apparence et pourtant combien de débutants ne noircissent-ils pas des dizaines et des dizaines de pages sans avoir une idée claire ou même vague de leur personnage principal !

Négligence souvent fatale, car ce personnage est un précieux compagnon de route dans ce voyage incertain qu'est toute entreprise romanesque. D'ailleurs, si le romancier lui-même ne sait pas de qui il se propose de raconter l'histoire, comment l'infortuné lecteur pourrait-il le savoir ? Et ne le sachant pas, comment ce dernier pourrait-il résister à l'agacement qui le gagnera rapidement et souvent de manière rédhibitoire ?

Le cas des chroniques ou des grandes sagas dans lesquelles pullulent les personnages est un cas à part, bien entendu, mais je te conseille à tes débuts d'y aller avec un personnage principal unique. Je te recommande par ailleurs de faire tes premières armes avec un roman à quatre ou six personnages, huit tout au plus, sinon tu risques de t'y perdre. (Lorsque je parle de personnages, je ne parle évidemment pas d'une serveuse ou d'un chauffeur de taxi qui, eux, peuvent proliférer sans danger : ils ne sont que des figurants.)

Je sais, Mozart écrivait des symphonies à cinq ans. Mais s'il est bien de manifester une belle confiance en ses propres moyens, il est aussi préférable de ne pas établir de règles de conduite à partir de cas d'exception.

La tendance – j'ai presque envie de dire le travers ! – de tout débutant est le roman autobiographique, qui compte forcément peu de personnages. C'est pour cette raison que je te déconseille le roman à un ou deux personnages au début.

Avec quatre ou cinq personnages, ta palette est plus riche, tes possibilités plus vastes. Tu peux multiplier péripéties et revirements, ressorts incontournables des romans qui plaisent au plus grand nombre et qu'il est plus difficile d'inventer lorsque ton histoire se passe en vase clos, avec seulement un ou deux personnages.

D'ailleurs, tu comprendras rapidement l'avantage de te lancer à l'aventure avec quelques personnages lorsque tu auras saisi la fameuse théorie de l'illumination de Henry James. Pour lui, chaque personnage secondaire doit «illuminer» un aspect du caractère du personnage principal. Donc si tu as peu de personnages secondaires, ta peinture risque d'être plus monochrome.

Cela dit, il y a des romans admirables, de véritables chefs-d'œuvre à un seul personnage ou presque, comme *L'Étranger* de Camus.

2. QUEL EST LE BUT OU LE PROBLÈME, LE CONFLIT, LE CHOIX, LA CRISE VÉCUS PAR MON PERSONNAGE PRINCIPAL? LA QUESTION A-T-ELLE ÉTÉ CLAIREMENT POSÉE DÈS LE DÉBUT?

Voilà ce qu'il te faut savoir. Un avocat de cinquante-cinq ans, grisonnant, divorcé et habitant Londres n'est pas un personnage de roman. Un personnage de roman peut posséder ces différents traits, avoir ce statut, bien entendu, mais ce n'est pas suffisant.

Un personnage est avant tout un être aux prises avec un problème, un conflit, un dilemme moral précis posé le plus rapidement possible par le romancier, de préférence dès le premier chapitre, parfois même dès la première ligne.

Lorsqu'on lit un livre ou qu'on voit un film où ce conflit, ce problème du personnage principal ne sont pas posés rapidement et clairement, un sentiment d'agacement, d'impatience surgit presque immédiatement chez le lecteur ou le spectateur qui se demande : « Quelle est l'histoire ? Qu'est-ce que l'auteur veut démontrer ? Que cherche ce personnage ? »

Car c'est par son problème, son conflit central – et la manière dont il y réagira, dont il le réglera ou ne le réglera pas – que ton personnage principal sera défini et non par la couleur de ses cheveux, le costume qu'il porte ou son emploi.

3. QUELLE EST LA MOTIVATION DE MON PERSONNAGE PRINCIPAL ?

La motivation, c'est autre chose que le but de ton personnage, c'est ce qui en général précède et engendre ce but. Je vais te donner un exemple.

Supposons qu'une femme d'origine modeste et sans grande instruction découvre que son mari la trompe avec une avocate. Humiliée, et d'autant plus cruellement que sa rivale est plus instruite qu'elle –, elle le quitte et tente de faire fortune car, dans la nécessité, dans le chagrin, des dons étonnants de femme d'affaires se révèlent en elle, que sert admirablement une énergie peu commune, celle du désespoir, celle de la revanche.

Son but, c'est de faire fortune.

Sa motivation, c'est l'humiliation qu'elle a subie en apprenant l'infidélité de son mari.

Tu vois, l'un diffère de l'autre. Lorsqu'on ne connaît que le but d'un personnage, c'est mieux que si on ne le connaissait pas, mais ce n'est pas suffisant. Il faut aussi connaître sa motivation, ce qui en somme le pousse à se fixer un ou des buts précis. Sinon, il aura l'air d'une simple marionnette.

Cela dit, j'ajouterai que tu ne pourras pas montrer la motivation de tous tes personnages, je veux dire de tous tes personnages secondaires. Car la motivation est généralement établie dans une ou deux scènes. Si tu te pliais à cette règle pour chacun de tes personnages, tu n'en finirais plus.

À la place, résume dans un sommaire bref et percutant la motivation de tes personnages secondaires. Ou encore sache-la mais dissimule-la au lecteur qui la découvrira au fil du récit. C'est un des ressorts élémentaires du suspense – psychologique ou autre – de ne révéler qu'au compte-gouttes les intentions de tes personnages, je veux dire de tes personnages secondaires, dont ton personnage principal ne saura pas tout de suite s'ils sont des ennemis ou des alliés.

Donc pose rapidement le conflit, le dilemme moral de ton héros, mais laisse dans une ombre féconde les motifs de ceux qui l'illuminent, qui l'aideront dans sa tâche ou chercheront sa perte.

4. LE LECTEUR PEUT-IL S'IDENTIFIER À MON PERSONNAGE ?

Je t'ai suffisamment parlé de l'importance de l'identification dans mes lettres antérieures, mais il est bon que tu te questionnes avant de te mettre au travail. Il y a des personnages si foncièrement antipathiques qu'il est quasiment impossible de les imposer au public, comme ce serait le cas par exemple d'un héros qui au premier chapitre giflerait une fillette de sept ans ou, pire encore, violerait sa voisine.

5. QUELLE SÉRIE D'ACTIONS LE PERSONNAGE PRINCIPAL VA-T-IL ACCOMPLIR POUR ATTEINDRE SON BUT, RÉGLER SON CONFLIT ?

Il ne suffit pas qu'un personnage principal ait un but, encore faut-il que, pour nous convaincre de sa sincérité, il accomplisse des actes qui lui permettront d'atteindre son but ou de résoudre son conflit.

À ce sujet, méfie-toi comme de ton pire ennemi de la passivité de ton personnage principal. Il peut certes subir, au début de l'histoire, un certain nombre d'événements, mais s'il ne réagit pas, s'il reste passif comme une éternelle victime, le public se lasse et s'irrite : même, il finit par trouver ce personnage antipathique. Il se dit : « Pourquoi ne fait-il rien pour s'en sortir ? Il devrait agir ! »

Ton personnage doit donc passer à l'acte et non pas se contenter de bavarder ou de réfléchir, même brillamment. Ton génie de romancier doit s'appliquer constamment à faire agir ton héros.

6. QUELS OBSTACLES MON PERSONNAGE PRINCIPAL VA-T-IL RENCONTRER ?

Ton héros doit agir, doit poursuivre son but, et ton rôle de romancier est aussi, est surtout de contrarier ses projets, de le déjouer en posant sur son chemin différents obstacles. Un héros qui atteint son but sans surmonter d'obstacles n'est pas un héros, et le romancier qui l'a créé n'est pas très doué, en tout cas pas très bon psychologue.

En général, la simple logique commande que tu inventes des obstacles de **difficulté croissante** pour contrecarrer ton héros. Une ficelle du métier consiste à imaginer des obstacles d'abord personnels (intérieurs) puis interpersonnels et enfin sociaux.

7. COMMENT LES PERSONNAGES SECONDAIRES AIDENT-ILS LE PERSONNAGE PRINCIPAL À ATTEINDRE SON BUT, À RÉSOUDRE SA CRISE OU COMMENT LUI NUISENT-ILS ?

Si tes personnages secondaires n'aident pas ton personnage principal ou ne lui nuisent pas, s'ils n'illuminent pas sa psychologie, son caractère, ils sont superflus et ne devraient pas encombrer le roman de leur présence, même si le romancier s'est attaché à eux pour de mauvaises raisons.

Les personnages secondaires peuvent être innombrables, mais en général ils se classent dans l'une ou l'autre des catégories suivantes, qui semblent d'ailleurs relever, tu le verras, des contes de notre enfance.

À cet égard tu liras avec intérêt *La Morphologie du conte*, de Propp, et tu découvriras, amusé, que nombre de romans modernes, et nombre de films (d'ailleurs surtout américains) ressortissent à la même psychologie, à la même structure que celle des contes pour enfants.

Certains personnages secondaires sont :

1. des aides, des mentors, des protecteurs, qui peuvent fournir des informations utiles, des encouragements, une aide physique ;

2. des hypocrites ; en apparence, ils doivent aider le personnage principal, mais ils sont hypocrites et donc éventuellement ils le trahiront, lui feront obstacle ;
3. carrément opposés au personnage principal et à la réalisation de son but.

L'opposition peut aussi venir de la société, d'une corporation, de la nature...

8. MA FIN RÉPOND-ELLE DE MANIÈRE SATISFAISANTE (ET SURPRENANTE) AU PROBLÈME, AU BUT, AU CHOIX, À LA CRISE DU PERSONNAGE PRINCIPAL ?

Donner au lecteur ce qu'il veut mais d'une manière à laquelle il ne s'attend pas. Boucler la boucle aussi : car en posant initialement la crise, le dilemme de ton personnage, tu as forcément créé des attentes chez le lecteur. La fin de ton roman doit apporter la conclusion de cette crise, de cette quête qui, si tu es habile, sera d'ailleurs modulée tout au long du récit.

9. COMMENT MON PERSONNAGE PRINCIPAL A-T-IL ÉTÉ TRANSFORMÉ PAR MON HISTOIRE ?

Qu'ont en commun des personnages en apparence aussi dissemblables qu'Hercule Poirot et James Bond ? La réponse qui te vient sans doute spontanément à l'esprit, cher neveu, c'est que ces deux personnages sont immensément populaires et qu'ils sont tous deux nés dans le cerveau d'auteurs anglais. C'est vrai, mais ce n'est pas là la réponse que j'attendais.

Car ce qui m'intéresse chez eux, du moins dans cet exemple, c'est que ni l'un ni l'autre ne sort transformé par le récit. Ils émergent tous deux intacts de leurs aventures : l'imperturbable Poirot n'a sali que ses gants blancs en lisant le journal, et Bond ne s'est même pas décoiffé bien qu'il ait dû occire dix vilains, et séduire trois femmes pour accomplir sa mission.

En somme – et c'est une limite acceptée par le genre – ils sont tous les deux des machines : Poirot une machine à raisonner et à capturer les coupables, OO7 à éliminer ses rivaux et à séduire les femmes.

Dans ton roman, tu veux que ton héros soit autre chose qu'une simple machine, qu'une simple marionnette, tu veux qu'il acquière une humanité, qu'il soit plus humain qu'un véritable humain, même.

Parce que dans la vraie vie ce qui arrive aux êtres les change, les transforme, pas toujours pour le mieux, je l'admets, mais les transforme tout de même : rien n'est statique. Comme disait le philosophe grec : on ne met jamais deux fois le pied dans la même rivière.

Si tu veux que ton roman soit un miroir de la vie, et que ton héros ait une humanité, ce dernier doit se transformer en cours de route. Sinon tu risques que le lecteur se dise : « À quoi bon avoir vécu toutes ces aventures, à quoi bon avoir subi tous ces déboires, fait face à tous ces obstacles, si à la fin le héros est resté le même ! »

Pense au célèbre personnage de Rastignac dans *Le Père Goriot* de Balzac. Naïf au début, il devient, au contact du cynique Vautrin, un arriviste qui, à la fin du roman, lance son fameux : « À nous deux Paris ! »

Déçue par son mariage, et pleine d'illusions romanesques, Madame Bovary cherche à tromper son ennui conjugal – et le pauvre Charles, son mari, bien entendu ! – en s'étourdissant dans les bras de ses amants successifs qui tous la déçoivent, si bien qu'elle se rend compte à la fin de l'inanité de ses rêves.

Tu vois que je donne dans les exemples les plus célèbres, mais si tu lis ou relis les œuvres qui ont le moindrement de valeur, tu verras que la trajectoire du héros est toujours bien soignée, et que du reste elle est en général déterminée par la prémisse de l'œuvre : tout se tient, en somme !

La trajectoire, ou l'arc du héros, c'est justement ce qui se passe dans son caractère, dans sa philosophie, sa vision du monde, entre le début et la fin du récit : c'est le portrait de sa transformation.

10. QUELLE EST LA PRÉMISSE DE MON HISTOIRE ? LE DÉNOUEMENT DE MON HISTOIRE DÉMONTRE-T-IL CETTE PRÉMISSE ?

C'est le dixième point, mais c'est peut-être le plus important. C'est personnellement celui que j'ai découvert le plus tardivement. Et c'est peut-être normal qu'on comprenne plus tard les choses les plus importantes, car elles sont les plus difficiles. La prémisse, je t'ai expliqué ce que c'était dans une lettre précédente. Il est bon que tu te demandes si ton plan démontre de manière efficace et originale ta prémisse.

Bon, je vais maintenant prendre congé de toi. Il me semble que j'ai été un peu trop bavard. Devant moi, dans un grand froissement d'ailes et un piaillement confus, les innombrables moineaux se sont envolés, pour aller sans doute envahir un autre lieu, peut-être justement cette fameuse tour que je ne semble pas destiné à voir. Et peut-être décriront-ils autour d'elle des cercles semblables à ceux des illustres volatiles de Bosch autour des gibets et des tours qui parsèment ses toiles.

Moi, on dirait que mon inspiration m'a quitté, aussi brusquement qu'elle s'était emparée de moi : les oiseaux l'ont emportée dans leur vol !

Je reprends sans plus attendre la route. Je ne sais plus trop quelle heure il est. Le soleil est encore haut dans le ciel, et comme je préfère rouler avant que vienne l'obscurité...

Je retourne coucher ce soir à Florence, pour la dernière fois car j'ai décidé de partir demain pour Milan. Je n'ai pas encore percé le mystère de la ville des Médicis. Ou plutôt si, je l'ai percé, je sais pourquoi elle a perdu, du moins à mes yeux, sa splendeur. Ses musées restent admirables, qui abritent tant de chefs-d'œuvre.

Mais elle, elle a connu son heure de gloire : les villes, les empires sont soumis aux mêmes lois que les êtres, ils naissent, atteignent leur apogée et enfin, inexorablement, leur déclin. Si je veux retrouver la beauté perdue de Florence, je dois m'en remettre à mon esprit, à mon imagination. Tout n'est pas perdu : après tout, c'est ce que je fais tous les jours pour gagner ma vie !

Lettre 10

De l'importance du suspense

Milan, le 20 juin

Hier, je suis arrivé à Milan. Beaucoup décrient cette ville, la taxant de mercantilisme, lui reprochant son manque de charme. Elle a pourtant ses beaux quartiers, en particulier celui du Brera, avec ses petites rues qui abritent antiquaires, modistes, galeries d'art et cafés sympathiques. Il y a aussi, bien entendu, la Via Monte Napoleone, la célèbre Scala, le Duomo avec ses clochers en aiguille qui retiennent le plus souvent l'attention du voyageur.

J'ai pourtant pris une chambre assez éloignée de ce quartier que j'affectionne, dans un hôtel plutôt quelconque, sur Corso Buenos Aires, qui est une artère fort commerciale comme il y en a dans tant de grandes villes. C'est qu'après m'être gavé de petites villes comme Portofino et Florence, j'avais pour ainsi dire un goût d'urbanité.

Ce matin, en me levant vers sept heures, j'ai assisté à une scène plutôt amusante. Un poissonnier rondouillard à la barbe mal rasée préparait ses étals pour la journée et, sans complexe, tuait avec une tapette les mouches qui venaient se poser sur ses poissons ! Voilà, me suis-je dit, une scène qu'on ne verrait guère en Amérique, qui est obsédée par l'hygiène !

Mais si je t'écris aujourd'hui, ce n'est certes pas pour te parler des mœurs de quelque poissonnier milanais ! Non, c'est qu'au moment où j'ai ouvert l'œil me trottaient dans la tête des idées au sujet du suspense. Aussi me suis-je aussitôt mis au travail pour ne pas perdre le fil, si fragile, de l'inspiration. J'ai abouti à une lettre qui te paraîtra un peu longue, je le crains, mais l'importance du sujet justifiait cette prolixité.

En effet, à l'époque où nous vivons, si tu veux vivre de ta plume – et tu m'as confié que c'était ton rêve le plus cher – il va falloir que tes romans soient captivants.

Tu n'es pas tenu d'écrire des romans à suspense, des polars, des **thrillers** comme disent les Américains, mais il est important, je crois, que tu apprennes à tenir le lecteur en haleine, et surtout à le faire prisonnier (le captiver : le rendre captif !) dès le début de ton roman, même si tu écris un roman d'amour, même si tu écris un roman psychologique.

D'ailleurs ce conseil ne vaut pas seulement pour le lecteur, il vaut surtout et d'abord pour ton éventuel éditeur qui, ne l'oublie jamais, est ton premier ou un de tes premiers lecteurs, en somme. Le lecteur moderne est aussi impatient que l'éditeur est pressé – et débordé.

Si tu ne le captives pas tout de suite, dès la première page, et même dès la première ligne, tu risques de le perdre à tout jamais. Tu risques qu'il ne découvre jamais ta merveilleuse histoire... qui ne débutait qu'à la dixième ou à la vingtième page, hélas !

Du reste, ce lecteur que tu dois prendre dans les filets de ton histoire dès le premier instant, tu dois aussi le maintenir en haleine jusqu'à la fin.

Aussi, comme je m'étais amusé à le faire pour l'identification, t'ai-je préparé un petit *Traité du suspense*, qui te sera fort utile, je crois, peu importe le genre que tu souhaites embrasser.

RÈGLE PREMIÈRE : **Place rapidement ton personnage principal devant un choix, dans un état de conflit ou de crise.**

Rapidement, le mot est important et c'est pour cette raison que je le répète et le souligne. On a souvent besoin, lorsqu'on se met à écrire, d'une période de réchauffement, si bien qu'on entre vraiment dans son histoire seulement après une dizaine ou une vingtaine de pages.

Ton lecteur, lui, ne sera peut-être pas aussi indulgent avec toi et ne parviendra peut-être jamais au seuil de ce temple magnifique que tu avais pourtant soigneusement édifié pour lui.

L'établissement de ton plan peut par ailleurs t'aider à supprimer ou en tout cas à atténuer ce syndrome si fréquent. Si cela n'a pas été le cas, inspire-toi de la belle réflexion de Valéry : « L'art vit de sacrifices » et n'hésite pas à sortir le scalpel pour amputer un début trop lent.

Donc rapidement, place ton personnage devant un choix, je veux dire un choix dramatique. Car si ton personnage doit hésiter entre écouter la télé ou aller au cinéma, le choix qui se pose à lui n'est évidemment pas passionnant !

Non, un choix dramatique, c'est un choix qui a des implications plus vastes, plus profondes, plus décisives dans la vie de ton héros. Et c'est surtout un choix qui comporte un... **risque**.

Une femme n'est pas placée devant un choix dramatique, qui doit choisir entre un homme riche, beau, et follement amoureux d'elle, et un raté, horrible, qui la traite comme une moins que rien : encore que si elle est masochiste de nature, un auteur ingénieux – ou comique – parviendra peut-être à convaincre le lecteur qu'elle a un véritable choix à faire !

Pour que ton personnage soit placé devant un choix, **il doit avoir quelque chose à perdre**, peu importe ce qu'il décide.

Par exemple, ton héroïne est mariée – mais mal mariée, bien entendu, sinon elle ne serait pas un personnage de roman ! – et elle revoit un ancien amant, qui voulait l'épouser mais qu'elle a repoussé parce qu'elle ne se sentait pas prête à mettre fin à sa vie de femme libre et surtout à unir son destin à celui d'un étudiant.

Il est visiblement encore amoureux d'elle et au moment où ils se revoient par hasard, dans un café où ils avaient coutume de se rencontrer et où elle est entrée sans trop savoir pourquoi, il vient fort commodément de se séparer de sa femme, qu'il n'a jamais vraiment aimée parce que toujours il a continué à penser à elle (l'héroïne), son grand amour de jeunesse, sa seule certitude.

Elle non plus n'a jamais cessé de penser à lui, elle a longtemps regretté sa décision ancienne. Et elle se rend compte dès leurs retrouvailles qu'elle est encore troublée par lui.

Il la presse de quitter son mari, de venir vivre avec lui. Quitter son mari ne serait pas un choix bien difficile, puisqu'elle ne l'aime plus et même le hait secrètement. Mais voilà : elle a des enfants, en bas âge, qu'elle adore !

Tu me diras qu'elle pourrait faire comme des millions de mères séparées et se contenter de la garde partagée. Mais tu as été assez ingénieux pour lui donner un passé, afin de rendre plus grand l'Obstacle (dont je t'ai déjà parlé) et plus difficile le choix douloureux qui se pose à elle : au début de son mariage, cédant à des habitudes de jeunesse auxquelles elle avait promis de renoncer, elle s'est remise à boire et, un soir, dans un geste malheureux qu'elle ne cesse de regretter, elle a giflé sa petite fille qui en tombant s'est blessée au front, où elle porte maintenant une cicatrice.

Son mari n'a rien dit, mais il y a un témoin, la femme de ménage, susceptible de devenir un témoin gênant que son mari convoquera s'il y a procès pour la garde des enfants, qu'elle pourrait perdre du même coup.

Tu te rends peut-être compte que je dis un peu n'importe quoi, que j'improvise – mon roman doit commencer à me manquer ! – mais tu comprends, je crois, où je veux en venir. Cette héroïne infortunée est vraiment placée devant un choix dramatique.

« Que faire ? » se demande-t-elle.

Suivre son cœur, partir avec cet homme ?

Mais alors elle risque de perdre ses enfants, qui sont toute sa vie !

Renoncer à cet amour ?

Mais alors elle risque la dépression et peut-être est-elle en train de laisser passer la dernière chance d'un grand amour. Lui d'ailleurs ne peut pas attendre éternellement, car il a aussi un « agenda », si on peut dire, et il doit quitter le pays quelques semaines plus tard, et peut-être ensuite ne le reverra-t-elle jamais plus, ce qui est une complication supplémentaire et ajoute à l'intensité du drame.

Voilà un choix dramatique. Je ne prétends pas que ce soit le meilleur ni le plus original (sois indulgent : n'oublie pas que j'improvise !), mais au moins il te permet de comprendre le principe.

Dans un cas comme dans l'autre, ton héroïne a quelque chose à perdre.

Pourquoi ce simple dispositif (ou cette mise en situation, si tu veux l'appeler ainsi) est-il si efficace pour créer le suspense ? C'est que presque aussitôt – si du moins tu as bien travaillé – le lecteur se glissera inconsciemment dans la peau de ton héroïne et se dira : « Elle devrait faire ceci ! Elle devrait quitter son mari. Pour les enfants, tout finira par s'arranger, elle n'a qu'à trouver un bon avocat : ce n'est certainement pas parce qu'elle a giflé et blessé accidentellement sa petite fille dans un moment d'exaspération qu'un juge lui retirera la garde de ses enfants, fût-elle portée sur l'alcool. Après tout, c'est elle la mère. »

Un autre lecteur se dira autre chose : « Reste, c'est trop risqué. À la place, essaie de voir cet homme clandestinement. De toute manière, tu ne peux ainsi tout quitter sur un coup de tête. Peut-être peux-tu arranger les choses avec ton mari ? Cet homme que tu as revu par hasard – et qui est très beau, et très romantique, je sais ! – il y a dix ans que tu l'as perdu de vue. Il est peut-être bien différent de ce que tu penses. Non, c'est insensé, tu ne peux prendre ce risque, reste avec ton mari ! Sois plus futée ! Essaie d'avoir les deux. Ou plutôt les trois : le mari, l'amant et les enfants ! »

Évidemment on peut moduler à l'infini les réactions – et les suggestions « à distance » ! – des lecteurs. L'important, c'est que ton lecteur soit captivé, et qu'il se sente impliqué, au point de ne pas résister à la tentation de faire des suggestions, de tenir pareil discours.

Si tu parviens à garder ton lecteur prisonnier en retardant le choix de ton héros aussi longtemps que cette hésitation reste intéressante (mais pas une minute, pas une ligne de plus !) puis si tu peux peindre de manière originale, surprenante et émouvante les conséquences de ce choix, tu auras gagné la partie.

Le choix dramatique devant lequel tu places ton personnage le projette immédiatement dans un conflit – intérieur ou extérieur.

Place-le aussi, pour créer le suspense, dans une situation de crise. Par exemple, un entrepreneur se voit refuser par la banque un prêt qui lui aurait permis de sauver sa compagnie en difficulté. Que fera-t-il pour s'en sortir ?

Il peut d'ailleurs être amené à prendre une décision, si par exemple un ami un peu véreux lui offre le prêt dont il a besoin mais en échange d'un service malhonnête qui répugne à sa conscience. Cependant il est père de famille, il a des responsabilités et sa femme vient d'ailleurs de lui annoncer qu'elle est enceinte d'un troisième enfant !

Chacun, dans sa vie, traverse un jour ou l'autre – et certains ne s'en sortent jamais ! – une situation de crise. Le lecteur est donc favorablement disposé à s'intéresser dès le début du roman à un personnage en crise.

RÈGLE DEUXIÈME : **Place rapidement ton personnage devant un mystère, une énigme, une situation extraordinaire, ou tout simplement une menace physique.**

Un homme qui se lève un matin et se rend compte que la femme avec qui il se réveille tous les matins depuis dix ans n'est pas à côté de lui s'interroge nécessairement. Il veut savoir ce qui explique cette disparition. Le lecteur aussi, qui fait face au même mystère.

Si par exemple, tout au début de ton roman, un personnage se rend compte, en faisant sa toilette matinale, que sa brosse à dents est ensanglantée et que le sang ne provient pas de ses propres gencives qui sont intactes, il est forcément intrigué. Et le lecteur aussi.

De la même manière, si tu racontes à ton collègue de bureau que tu as enfin osé adresser la parole à la mystérieuse femme blonde que tu voyais souvent le matin dans l'ascenseur et que pour toute réponse elle a ouvert son manteau – sous lequel elle était complètement nue – et a tiré un revolver de sa poche pour le pointer immédiatement vers ton visage, ne lui dis pas que tu ne peux pas poursuivre ton récit parce que tu dois donner un coup de fil.

Il va vouloir t'étriper ! Tu l'as captivé sans le vouloir, doublement du reste. Pas seulement en lui expliquant que cette femme excentrique et belle a ouvert devant toi son manteau, exhibant sans pudeur sa nudité, mais surtout en racontant qu'elle t'a menacé physiquement avec une arme.

Car la menace physique est le ressort de presque tous les romans à suspense.

C'est d'ailleurs le ressort et la menace suprêmes, car ce que nous craignons le plus, c'est la mort. Presque tous les romans d'horreur, tous les polars, comportent une menace physique modulée plus ou moins originalement selon le talent de l'auteur.

Quant au procédé qui consiste à placer **un personnage ordinaire dans une situation extraordinaire**, on le retrouve dans d'innombrables films américains.

Ainsi, suppose que ton héros, un banal caissier de banque, est pris en otage par des voleurs et obligé de mener leur vie trépidante pendant une semaine. C'est une variante, si l'on veut, d'une des techniques d'identification qui consiste à catapulter ton héros dans un milieu nouveau.

RÈGLE TROISIÈME. **Utilise un grand nombre d'unités narratives**.

Qu'est-ce qu'une unité narrative ?

C'est simplement le plus petit élément d'une scène qui décrit une action et sa réaction.

Par exemple, un auteur veut se séparer de son agent qui néglige ses affaires. Son agent proteste qu'il ne peut pas faire ça, qu'il est son plus gros client et qu'en conséquence ce départ causerait sa ruine. Première unité narrative de la scène.

Deuxième unité narrative : l'auteur explique qu'il est désolé mais qu'il est trop tard, il a déjà signé avec un autre agent. L'agent sort une arme, menace de se suicider.

Troisième unité : l'auteur s'en moque, fait mine de quitter le bureau de son agent qui dirige alors l'arme vers son client.

L'auteur désarme l'agent et s'apprête à le quitter, mais l'agent contre-attaque en lui annonçant qu'il est sur le point de signer un contrat faramineux avec un des plus gros éditeurs du pays et que, s'il le quitte, le contrat ne sera jamais signé. Autre unité narrative.

Furieux, l'auteur se met à fouiller dans les dossiers de l'agent et découvre rapidement l'offre qui lui a été faite. Il se moque de son agent : il n'a plus besoin de lui pour signer ce contrat. Mais son agent contre-attaque encore une fois : oui, il a besoin de lui, sinon il va révéler à l'éditeur où son auteur – apparemment plagiaire – a vraiment pris son idée de roman si originale ! Nouvelle unité narrative.

Blanc de colère, l'auteur s'empare alors de l'arme et la tourne vers son agent. Qui a le temps de prendre la fuite. Nouvelle et dernière unité de cette scène, puisque l'agent a quitté précipitamment son bureau.

Tu saisis l'idée, cher neveu ? (En passant, je veux te rassurer au sujet de mes relations avec mon agent : elles sont au beau fixe depuis des années !)

Bon, maintenant que tu sais en quoi consiste une unité narrative, applique-toi à les multiplier. Dans chacune de tes scènes, puis dans chaque séquence (qui est une succession de scènes liées par un lien logique), puis dans toute ton histoire.

Je t'ai dit au début – et tu l'as sans doute toi-même observé chez toi – que le lecteur laisse souvent tomber un livre en poussant l'exclamation suivante : « Je n'embarque pas ! »

C'est ce qui arrive lorsque le romancier n'a pas réussi à créer l'indispensable identification entre le héros et le lecteur. Mais il proteste parfois : « Il ne se passe rien ! »

C'est souvent une exagération, mais qui témoigne pourtant d'un malaise et d'un manque.

Ce que ce lecteur exprime avec humeur, c'est qu'il n'y a pas suffisamment d'unités narratives dans le récit. Soit l'auteur aurait dû resserrer son histoire, en supprimer les longueurs, soit il aurait dû y ajouter des péripéties.

C'est d'ailleurs là, je pense, la différence essentielle entre la tradition américaine, qui multiplie – parfois à l'excès – le nombre d'unités narratives, et la française, qui en est trop avare, et laisse souvent le lecteur sur sa faim, se perdant en des digressions philosophiques ou sociologiques qui ne font guère avancer le récit. (À ce sujet, tu liras avec intérêt l'excellent essai *Écrire de la fiction au Québec*, de Noël Audet)

RÈGLE QUATRIÈME : **Utilise l'alternance des valeurs positives et des valeurs négatives**.

Qu'est-ce qu'une valeur positive ou négative ?

C'est simplement, dans la vie de ton héros, un événement heureux ou malheureux.

Si tu veux créer un suspense, et maintenir l'intérêt de ton lecteur, il faut que tu les fasses constamment alterner. Tu ne peux se faire succéder trop de valeurs positives ou trop de valeurs négatives.

Dans le premier cas, c'est du Harlequin, du roman rose, et le lecteur se lasse.

Par contre, une dose trop massive de mauvaises nouvelles et d'événements malheureux peut devenir aussi rapidement lassante, qui confine au misérabilisme et laisse peu de chances au héros – et au lecteur ! – de s'en sortir.

Reprends si tu veux l'exemple de ce héros qui vient de perdre son emploi. Valeur négative bien entendu. Mais en le congédiant son patron lui annonce qu'une compagnie qu'il connaît cherche actuellement un employé dont le profil correspond au sien et lui donne même le numéro du directeur du personnel, un ami à lui. Valeur positive.

Empli d'un espoir nouveau, le héros se rend tout de suite au siège social de cette compagnie, seulement pour constater que ses employés viennent de se mettre en grève. Valeur négative.

Mais en rebroussant chemin, penaud, il tombe par hasard sur un ancien camarade de classe qui a fait fortune et à qui d'ailleurs, plus jeune, il avait avancé une petite somme que ce camarade ne lui a du reste jamais remboursée. Notre héros lui raconte ses déboires professionnels, et son ami, qui n'est pas ingrat et se rappelle sa dette ancienne, le prie de se présenter le lendemain à ses bureaux : il a un poste parfait pour lui ! Valeur positive.

Le lendemain matin, rasé de près, cravaté de neuf, notre héros, en route vers ce rendez-vous providentiel, apprend en lisant la première page du journal qu'il a acheté en vitesse que son ami est mort pendant la nuit, foudroyé par un infarctus. Valeur négative.

Tu vois, le mécanisme est simple et, pourtant, il s'avère extrêmement efficace, car il crée presque automatiquement un suspense. Le lecteur se réjouit puis se désole, ce qui est par ailleurs le mouvement naturel de la vie.

Ou si ton héros a en tête un but particulier, que tu as eu l'adresse d'établir clairement dès le début, le lecteur se dit : « Il va l'avoir ! » Puis : « Il ne l'aura pas ! » Et ainsi de suite.

Dans une bonne intrigue amoureuse, tu ne dois pas faire autre chose : susciter l'espoir puis le contrarier, le susciter de nouveau, et de nouveau le décourager. Autant chez ton héros que chez le lecteur qui vit ses aventures par procuration.

Essaie également de rendre l'enjeu intéressant, le défi de ton héros crédible. Je veux dire par là : s'il est évident dans l'esprit de ton lecteur que ton héros n'a vraiment aucune chance de parvenir à ses fins, le lecteur sera sceptique et éprouvera de la difficulté à s'intéresser à ton histoire, au combat de ton héros, peu importe sa nature.

Par exemple, on a beau dire que nombre de grands hommes d'affaires sont des déséquilibrés, je vois mal un auteur convaincre le lecteur qu'un pensionnaire échappé d'une clinique psychiatrique puisse diriger une multinationale, même si dans *Forrest Gump* on a vu le héros faire fortune en investissant dans une certaine compagnie de fruits : Apple !

Pourtant, dans *Trading Places*, m'objecteras-tu, on voit un clochard (Eddy Murphy) devenir le conseiller boursier, d'ailleurs habile, de deux vieux associés richissimes dont l'un a fait le pari, pour un dollar, et en se servant de lui comme cobaye, que le milieu est plus important que les gènes dans le succès d'un individu, ce qui est d'ailleurs la prémisse – ici assez clairement exprimée – du film.

Tu as raison, mais n'oublie pas que nous sommes ici dans une comédie, où les règles sont plus lâches, où presque tout est permis, alors que dans la vraie vie pareille situation est plutôt improbable.

Donc ton héros doit posséder certaines chances de réussir, même si sa mission paraît difficile, sinon impossible. En revanche, si la partie semble trop facile pour lui et pour ainsi dire gagnée d'avance, le lecteur se désintéressera de son sort et se demandera pour quelle raison l'auteur a voulu l'ennuyer avec son récit.

Avant de passer à la règle suivante, j'ai envie d'ajouter une petite note, sorte d'antithèse de ce que je viens de dire. Me pardonneras-tu, cher neveu, de me distraire de la solitude de ma chambre en cédant à mon démon dialectique qui empoisonna tant de mes professeurs et dont j'ai tenté de me corriger avec l'âge, surtout dans les conversations mondaines ?

Tu veux bien ?

Alors voilà : en pensant au sympathique héros Forrest Gump (un simple d'esprit follement amoureux, deux caractéristique héroïques dont nous avons vu l'importance dans des lettres antérieures, je te le rappelle), je me suis dit que ce qui le rend touchant, c'est que son amour est **impossible** (donc il n'a aucune chance de succès au départ) parce qu'il est épris d'une femme belle et normale alors que lui se sait diminué intellectuellement et n'est pas spécialement un Adonis. Il finira par l'épouser, il est vrai, et aura même d'elle un enfant, mais on sent bien qu'elle ne lui cède que par dépit, par amitié si on veut ou parce qu'il lui sert de refuge confortable après une vie dissipée et somme toute malheureuse.

RÈGLE CINQUIÈME : **Donne l'information au compte-gouttes.**

C'est en quelque sorte la théorie sidération et lumière dont parle Freud. Le lecteur doit être sidéré, c'est-à-dire placé devant une énigme, un événement dont il n'a pas la clé, car il lui manque des informations et des informations essentielles à la solution.

Mais en même temps tu dois éclairer ton lecteur en fournissant suffisamment d'indices, suffisamment de lumière pour maintenir son intérêt.

Il doit sentir qu'il a le pouvoir de résoudre l'énigme, le mystère que tu lui proposes, et je ne parle pas seulement de romans policiers ou de polars : peu importe le genre, le lecteur aime penser qu'il peut découvrir l'issue du roman.

Et, surtout, il n'aime pas que le dénouement soit déterminé par une intervention tardive et arbitraire de l'auteur, ce qu'on appelle un **deus ex machina**.

Tu dois déterminer pour chaque œuvre l'équilibre parfait dans la manière dont tu dispenses l'information. Si tu donnes trop d'information, et surtout si tu la donnes trop rapidement, ton intrigue devient forcément prévisible, et l'intérêt du lecteur chute.

N'oublie pas que ce qui porte la plupart des lecteurs vers la fin du roman, même s'il n'est pas absolument passionnant, c'est **la volonté de savoir comment l'histoire se termine**.

À ce sujet, tu liras avec intérêt le livre de Narcejac : *Le Roman policier. Une machine à lire*. Et si tu es opportuniste, tu verras que tu peux appliquer les techniques du roman policier à tout bon roman psychologique, et en faire alors un véritable suspense qui te vaudra nombre de lecteurs.

L'équilibre importe donc dans la manière dont tu dispenses l'information. Si tu en donnes trop, le lecteur a deviné la fin bien avant que tu lui assènes naïvement le dénouement, et le jeu l'ennuie, qui devait justement le divertir.

Par contre, si tu te montres trop avare d'information, le lecteur est dérouté, son intérêt diminue, et le livre lui tombe des mains, comme un grimoire.

En règle générale, cependant, ce penchant est plus rare. Impatient ou enthousiaste, désireux d'être compris coûte que coûte (même si tout le monde a compris !), le débutant a tendance à se montrer bavard, à trop en dire dès le départ.

Sois sobre !

Sois rusé : garde-toi des munitions en réserve ! Prends ton temps pour faire les révélations dont tu auras d'ailleurs grand besoin en cours de route, pour relancer l'intrigue, créer des revirements inattendus.

Lorsque tu donnes de l'information, tu fais ce qu'on appelle de l'exposition.

Pour être réussie, ton exposition doit se dérouler de manière naturelle, elle ne doit pas être trop lourde, trop évidente.

Et tu dois aussi t'efforcer, pour que ton exposition soit dramatique et non pas statique, de **ne donner l'information que le plus tard possible dans l'intrigue**, au moment où elle devient indispensable à la poursuite du récit.

D'ailleurs, si tu y penses, tout le monde fait ça tout le temps dans la vie. Les gens ne se dévoilent pas en entier à la première rencontre, ils cachent, plus ou moins délibérément, de l'information, ce qui fait dire à bien des amoureux désillusionnés qu'il y a eu erreur sur la personne, lorsqu'ils découvrent qui est vraiment leur partenaire.

Prends *Fatal Attraction*. Il y a une scène qui est un exemple fort simple d'exposition réussie. Je te résume succinctement l'histoire. Un homme marié (Michael Douglas) profite de l'absence de sa femme, un week-end, pour avoir une aventure à ses yeux sans lendemain. Mais sa partenaire (Glenn Close) ne l'entend pas de la sorte, le relance constamment, va même jusqu'à l'appeler chez lui, tard le soir, alors que sa femme dort tendrement à ses côtés.

Irrité, l'homme marié accepte de rencontrer cette maîtresse insistante, et alors il la somme de le laisser en paix. Elle lui annonce à ce moment, dans une réplique à tout le moins dramatique : « Je suis enceinte. » C'est de l'exposition habile – et c'est aussi du chantage !

Elle sait en effet depuis un certain temps qu'elle est enceinte, et elle a eu d'autres occasions de le lui dire, mais elle a attendu (et surtout le scénariste habile a attendu) le moment le plus dramatique pour le lui dire.

Il veut la quitter, elle est follement éprise de lui, et la partie est inégale, car il est heureux en ménage (malgré son incartade d'un soir !) : aussi se sert-elle de cette arme inattendue (qui est en même temps une information) pour le retenir. Le mari, visiblement contrarié et étonné, croyait qu'elle prenait la pilule.

Faisant de l'exposition tardive et parfaitement efficace, la femme (c'est le scénariste, mais tu me comprends !) lui explique alors que non, qu'elle a eu une très vilaine fausse-couche l'année précédente et qu'elle ne croyait pas qu'elle pouvait tomber enceinte.

Un peu plus loin dans la scène, elle enfonce quelques clous supplémentaires en apprenant à son amant d'un soir qu'il est assurément le père, parce qu'elle ne couche avec personne d'autre, et qu'elle veut garder cet enfant malgré sa réprobation, parce qu'elle a trente-six ans et que c'est peut-être sa dernière chance d'être mère.

Tout cela, c'est de l'exposition, et c'est aussi de l'exposition réussie. L'information n'est dispensée que le plus tard possible dans le récit, et au moment où elle a le plus grand effet dramatique.

Imagine maintenant ce qui se serait passé si le scénariste avait eu la maladresse de faire dire au personnage de Glenn Close, le premier soir : « J'ai trente-six ans (on n'apprend d'ailleurs son âge, qu'**il nous aurait été inutile et même mauvais dramatiquement de savoir avant**, que dans cette scène, donc fort tardivement), je ne prends pas la pilule parce que j'ai eu une terrible fausse-couche l'année dernière, et que je ne crois pas être encore fertile, mais si je tombe enceinte malgré tout, ce qui peut toujours arriver, n'est-ce pas ? surtout si ton niveau de spermatozoïdes est plus élevé que celui de l'Américain moyen, je vais garder l'enfant peu importe le sentiment du père parce que c'est peut-être ma dernière chance ! »

Évidemment, devant pareille tirade, le héros aurait pris ses jambes à son cou, et il n'y aurait jamais eu d'histoire !

Donc le scénariste **devait** cacher la vérité s'il voulait assurer la survie de son histoire, la rendre possible. Et de toute manière, ç'aurait été un manque de vraisemblance, une faute élémentaire de psychologie de faire déballer tout son passé, toutes ses intentions par l'héroïne, au moment même où elle voulait de toute évidence séduire ce bel étranger.

À l'avenir, dans les films que tu verras, dans les romans que tu liras, applique-toi à analyser la manière dont l'exposition est présentée au lecteur ou au spectateur. Découvre les défauts et les réussites de tes futurs collègues : l'exercice est très instructif, tu verras.

Un dernier conseil : ton plan est l'endroit idéal pour planifier ton exposition qui, du reste et malgré ta volonté bien arrêtée de la faire au compte-gouttes, sera forcément plus abondante dans la première moitié de ton histoire.

Et puis, si malgré toute ton application, ton exposition est encore imparfaite, c'est à la relecture que tu le verras. Et c'est surtout en faisant lire ton manuscrit à tes premiers lecteurs (qui doivent précéder obligatoirement un éventuel éditeur !) que tu découvriras si tu as commis des fautes.

Ces premiers lecteurs sont souvent en mesure de les découvrir mieux que toi, car ils ne connaissent pas ton histoire, et n'en connaîtront jamais que ce qui est sur le papier, alors que toi, tu la connais parfois trop, et tu sais même à son sujet deux ou trois choses qui ne sont pas dans le manuscrit, et qui devraient peut-être y être mais que tu as oubliées : à regarder trop longtemps une chose de près, parfois on ne la voit tout simplement plus ! Tes premiers lecteurs sont tes yeux, écoute humblement leur avis, tiens compte de leurs reproches, surtout en ce qui a trait à l'exposition !

J'allais passer à la règle suivante lorsqu'il m'est venu à l'esprit une notion dont l'importance justifie cet ajout : c'est celle de **position supérieure**.

On dit du lecteur qu'il est en **position supérieure par rapport au héros lorsqu'il en sait plus que lui au**

sujet de la situation. L'exemple le plus célèbre pour illustrer cette notion, capitale dans le suspense, est sans doute celui que donne Hitchcock à Truffaut dans leurs célèbres entretiens.

L'excentrique réalisateur de *Psychose* et de *Les Oiseaux* dit en gros (je résume et commente tout à la fois) : « Imaginons le héros assis à une table sous laquelle se trouve une bombe. Si le spectateur sait qu'il y a une bombe (donc est en position supérieure), il s'inquiète pour le héros, il se dit : " Ne commande pas un second café, pars, la bombe va exploser d'une minute à l'autre ! " Et chaque chose que le héros fait pour retarder son départ irrite et angoisse le spectateur. Par contre, si ce dernier ignore la présence de la bombe et qu'elle explose, le réalisateur ne peut plus compter que sur l'effet de surprise, qui est bref, et moins opératoire dans la scène. »

Il y a donc des cas, tu vois, où ton lecteur peut en savoir plus que ton héros, où donc il est en position supérieure, même si je t'ai prévenu contre les dangers d'une exposition bavarde et hâtive.

Dans un roman policier, le lecteur ne peut évidemment pas se retrouver en position supérieure, sinon toute l'enquête lui paraîtra ennuyeuse, et le détective qui la mène peu perspicace.

Mais lorsqu'il y a un danger, surtout un danger physique qui menace le héros, il est souvent préférable de suivre le conseil de Hitchcock.

Enfin, à toi de juger selon la situation, mais retiens comme principe général que si le dénouement de ton suspense tient à la découverte d'une information, il ne faut évidemment pas que ton lecteur se retrouve à quelque moment en position supérieure, tandis que si ton héros est menacé, par exemple par un médecin fou qu'il croit honnête et qui s'apprête en fait à lui administrer une injection fatale, alors il est avantageux dramatiquement, et en tout cas pour le suspense, que ton lecteur en sache plus long que ton héros. Il est même nécessaire dans cet exemple que le lecteur soit en position supérieure, sinon il n'y a plus aucun danger et la scène est dépourvue d'intérêt !

Ultimement, si une hésitation persiste en toi, tu peux écrire la scène de deux manières et voir celle qui fonctionne le mieux.

RÈGLE SIXIÈME : **Mets un bâton dans les roues de ton personnage principal**.

Il ne faut pas que ton héros ait la vie facile, sinon il s'ennuiera, et le lecteur aussi. Mets constamment des obstacles sur son chemin, et des obstacles de difficulté croissante. Au moment où il croit avoir gagné la partie, un nouvel obstacle encore plus grand que les précédents surgit, qui mettra à l'épreuve sa vaillance, sa détermination.

Que la crise qu'il vit soit d'abord personnelle, puis interpersonnelle et enfin sociale. Les Américains pratiquent constamment cette règle.

Prends le célèbre film de Spielberg, *E.T.* Au début, ce n'est que l'histoire d'un petit garçon qui découvre un charmant petit extraterrestre oublié par ses amis sur Terre. Puis ses parents le découvrent, ce qui complique l'histoire, et enfin, apothéose, la C.I.A. apprend son existence, le pourchasse implacablement, s'empare de lui pour pouvoir l'étudier. Mais il s'enfuit à la fin sans oublier au passage de soumettre le spectateur et surtout le petit garçon qui l'a recueilli à un choix déchirant lorsqu'il le supplie de monter avec lui dans sa soucoupe (« Viens ») et que le bambin lui répond : « Reste. »

Pour contrarier ton héros, tu dois mettre des obstacles sur sa route, et une bonne manière de le faire est de lui imaginer des ennemis redoutables. Les Américains disent assez justement, en parlant d'un film : « Plus le Vilain est réussi, mieux le film s'en porte. » Et la règle ne s'applique pas seulement aux films qu'on dit d'action.

SEPTIÈME RÈGLE : **Appuie sur l'accélérateur**.

Il faut que tu vives avec ton époque qui est celle, que tu le déplores ou non, de la vitesse. Proust, aussi génial fût-il, serait pour ainsi dire impossible aujourd'hui, avec ses phrases d'une demi-page, ses analyses interminables. Je sais que, délibérément, il a voulu « déconstruire » le récit classique, et même abolir le suspense. Il y a merveilleusement réussi, et néanmoins le lecteur contemporain, moins féru de littérature que celui de son époque, se sent rapidement largué.

Évite donc les trop longues descriptions, qui sont d'ailleurs fastidieuses à écrire et que le lecteur impatient considère comme un pensum qu'il saute volontiers, malgré l'éclat de ton style.

Va à l'essentiel.

Ne sous-estime pas l'intelligence du lecteur : en général, il comprend plus vite que tu ne crois.

Oui, appuie résolument sur l'accélérateur, comme un automobiliste ivre de vitesse.

Pour donner du rythme à ton récit, multiplie, comme on a vu, les unités narratives.

Mais en même temps ne tombe pas dans le défaut de vouloir tout dire à chaque scène.

Que tes attaques soient vives, tes sorties rapides !

Inspire-toi de ce judicieux précepte américain : « *Start late, finish early !* » Entre le plus tard possible dans la scène et sors-en rapidement, ce qui crée chez le lecteur un déséquilibre fécond.

Je vais te donner un exemple : imagine que ton héros se rende chez son père pour lui emprunter de l'argent. Tu n'es pas obligé de le montrer qui monte dans sa voiture, puis qui arrive à la maison paternelle, qui sonne nerveusement. Tu n'es même pas obligé de montrer le début de la rencontre avec son père.

Tu peux entrer beaucoup plus tard dans la scène et montrer simplement son père qui lui dit : « J'ai honte de toi, mon fils. C'est la troisième fois en moins d'un an que tu m'empruntes de l'argent ; je vois que tu es en train de rater ta vie et que tu ne réussiras jamais en tant que romancier, comme je t'en avais d'ailleurs prévenu lorsque tu m'as annoncé ton absurde vocation ! »

Tu vois, je suis entré bien plus tard dans la scène. Je ne l'ai pas écrite au complet, ai-je envie de dire un peu absurdement, car la scène, c'est ce qui est écrit sur la page et rien d'autre ! J'aurais pu montrer le fils qui faisait sa demande.

Mais le lecteur la connaissait déjà, alors pourquoi la lui faire répéter devant son père ? J'aurais pu montrer le fils suppliant, c'est vrai, mais il peut encore élever quelques protestations avant que son père ne le mette à la porte.

Au fait, la scène, qui a commencé avec la tirade irritée du père, pourrait ne durer que vingt lignes, et tu n'es pas tenu de montrer le fils et le père qui prennent congé l'un de l'autre.

Comprends-moi bien. Toutes ces choses que j'ai décidé d'omettre par choix d'auteur, tu peux vouloir les intégrer, avec raison, pour des motifs tout autres. J'essaie simplement de t'inculquer quelques notions de rythme, qui serviront le suspense de ton roman. Mais en règle générale, sors rapidement de tes scènes, aussi rapidement que tu y es entré.

Soit dit en passant, on ne réussit pas toujours dès le premier jet des scènes aussi enlevées. Et c'est souvent à la réécriture, comme un réalisateur le fait au montage, que tu pourras donner à ton récit le rythme endiablé que tu souhaites pour que le suspense soit haletant.

C'est souvent au moment de la réécriture qu'on supprime à la fin d'un dialogue les quelques répliques qui étirent inutilement la scène.

D'ailleurs, si vers la fin d'un de tes dialogues il y a une réplique puissante, mais qui n'est pas la dernière, qui ne constitue pas la chute de ta scène, il est bon que tu supprimes celles qui la suivent et l'affaiblissent. Il est toujours préférable de terminer sur un temps fort.

C'est ce que fait par exemple admirablement Sacha Guitry à la fin du premier acte de *Nono*, où une maîtresse âgée tente en vain d'arracher une promesse à son amant qui la quitte.

« — Jure-moi que tu me reviendras un jour !

— Un jour peut-être, mais pas plus ! »

Je ne sais pas si, dans son premier jet (ce n'était pas un auteur à ratures), Guitry terminait ainsi l'acte inaugural, mais il a été bien inspiré de faire tomber le rideau sur cette brillante réplique.

Oh ! Mais quelle heure est-il ? Onze heures !

Je n'ai pas vu le temps passer ! Je pense t'en avoir assez dit sur le suspense et surtout je meurs de faim ! Alors je te laisse, cher neveu.

Je souhaite seulement que tu médites longuement sur l'importance du suspense dans le roman. Si tu mets du suspense dans tous tes romans, le lecteur tournera les pages, et il voudra te lire de nouveau. C'est la grâce que je te souhaite. Bon, je sors mettre cette trop longue lettre à la poste, et avaler un croissant avec un *caffè latte*!

Lettre 11

Du dialogue

Milan, le 22 juin

Hier – et tu me le pardonneras sûrement vu l'effort méritoire que j'ai fourni au sujet du suspense – j'ai pris congé de toi, et n'ai d'ailleurs pas fait avancer mon roman. J'avais des fourmis dans les jambes, le temps était idéal, et je me suis rendu de mon hôtel jusqu'au Duomo, la fameuse cathédrale milanaise, ce qui m'a demandé une bonne heure de marche et pourtant ne m'a nullement fatigué.

C'est l'effet, je crois, des villes nouvelles ou aimées sur le voyageur, à qui elles insufflent un surcroît d'énergie, si tant est qu'elles correspondent à son tempérament. Paris me fait cet effet, que je retrouve toujours avec exaltation, comme Londres, comme Venise.

Mais en marchant, malgré moi je pensais à toi. Je t'ai parlé de l'importance du suspense. Et je me suis mis spontanément à réfléchir à celle du dialogue. Lui aussi aide à faire tourner les pages, surtout les pages du roman moderne. Il l'a du reste littéralement envahi, et je me demande si les romans anciens, qui en étaient non pas dépourvus mais moins « contaminés », pourraient être encore possibles aujourd'hui.

Et la raison en est simple : c'est la paresse ou, si tu veux, l'impatience du lecteur moderne.

Le dialogue est plus **lisible**.

Grâce à lui, on entre plus facilement dans un chapitre et on en poursuit plus aisément la lecture. Mais pourquoi au juste le dialogue est-il plus lisible ?

Comme tu peux le deviner, parce qu'il utilise généralement des mots plus simples, des phrases moins longues que la narration, il est plus **compréhensible**.

Il est aussi plus **économique** que la narration.

Avec peu de mots, il peut dire beaucoup.

Dans la charmante comédie *Blame it on Rio*, de Blake Edward, un des personnages, séducteur impénitent, demande à sa femme ulcérée :

« — Pourquoi me quittes-tu ?

— Ta fermeture-éclair est ouverte. »

Il se penche immédiatement, pour le vérifier, mais constate, étonné, que ce n'est pas le cas. Sa femme explique :

« — Non, pas aujourd'hui. Mais la plupart du temps. »

C'est amusant, cela montre en outre que cette femme trompée a de l'humour, du sang-froid et de la lucidité parce qu'elle sait fort bien ce qui se passe dans son ménage. Et c'est surtout rudement économique et efficace. En quelques mots, on a compris que le mari était un coureur de jupons invétéré.

C'est dans un film bien entendu, où il n'y a pas de narration, mais dans un roman, un auteur débutant aurait peut-être eu la tentation, même s'il s'agit de personnages secondaires, d'y aller d'un développement de quelques paragraphes, voire de quelques pages, alors que cette réplique bien trouvée dit tout.

Et non seulement elle dit tout, mais en outre elle amuse, et elle révèle un des traits de caractère de la femme, qui d'ailleurs se paye une vengeance, petite mais bien réelle, en ridiculisant son mari qui a pris sa boutade au pied de la lettre et s'est penché pour vérifier l'état de sa braguette. Voilà en somme bien des avantages.

Je sais que dans un roman une narration brillante aurait éventuellement pu remplacer le dialogue, mais comment atteindre à tant de qualités avec pareille économie de moyens ?

Prends cette réplique savoureuse d'un personnage du dramaturge Michel Tremblay : « Avec mes lunettes, personne peut me voir ! »

La folie du personnage est contenue dans une seule réplique. Et en plus cette réplique est drôle. C'est du théâtre, je sais, et au théâtre forcément tout est dialogue. Mais rien ne t'interdit d'écrire des dialogues aussi efficaces que ceux du théâtre, sans pourtant cesser d'être un romancier, c'est-à-dire sans cesser de montrer plus que d'expliquer les actions de tes personnages.

Soit dit en passant, je te recommande chaudement, pour parfaire tes talents de dialoguiste, de te vautrer dans le théâtre. Lis Anouilh, Guitry, Sartre, Ionesco : ce sont de grands dialoguistes ! Un autre des avantages du dialogue, en comparaison de la description, c'est qu'il est plus riche dramatiquement. Je vais t'expliquer pourquoi. Par une convention universellement admise, **l'auteur ne peut mentir au lecteur**.

Il peut mentir par omission, il est vrai, et ne manque pas de le faire, mais mentir carrément, il ne le peut pas. Ainsi, il serait fort mal avisé de dire au début de son roman que tel personnage n'a pas tué la victime pour se dédire à la fin et admettre que c'est lui l'assassin. Le lecteur se sentirait floué : on aurait violé une incontournable loi romanesque.

Mais un personnage, lui, **peut** mentir.

Psychopathe, hypocrite, névrosé, amoureux ou malhonnête, il reste libre comme le vent et peut dire absolument n'importe quoi, induire les autres personnages en erreur, les duper, comme il dupe (parfois) le lecteur, il peut se contredire, changer d'idée : ce qui est une véritable bénédiction pour un auteur.

Le mensonge en effet est source de conflits, d'intrigues, de revirements et de révélations puisqu'à la fin, en général, la vérité doit éclater.

Cela dit, un personnage peut aussi mentir tout en étant de bonne foi : il peut tout simplement exprimer son opinion qui s'avérera erronée, comme il peut avoir été mal informé. Il peut – et c'est le cas de presque tout le monde dans la vie – avoir une vision déformée de la vérité, j'entends par là de la vérité romanesque, de la vérité qui concerne les faits du récit.

Plus riche dramatiquement, le dialogue est aussi plus vivant. Parce que toute description, toute analyse de l'auteur, même brillante, même profonde, reste statique, a un côté fini. Elle est morte en un sens, car elle est **incontestable puisque c'est l'auteur qui le dit et qu'il n'a pas le droit de mentir**.

Or dans la vie rien n'est incontestable, tout est mouvant, tout est incertain, et les gens mentent constamment pour toutes sortes de raisons et ont une vision déformée d'eux-mêmes, de leur valeur, de la portée de leurs actes. Même le pire des assassins se croit souvent justifié dans ses crimes les plus odieux.

Oui, bien souvent une description, c'est un peu comme une affiche qu'on plaquerait de force sur le front d'un personnage. Or dans la vie personne ne se pavane avec une affichette qui dit : « Je suis un hypocrite » ou « Je vais vous rouler » ou « Je suis complexé » ou « Je vais tromper mon mari. »

Chacun cache plus ou moins – et plus ou moins habilement – son jeu, qu'il faut découvrir. Et c'est pour cette raison que lorsqu'on doit découvrir la vérité des personnages à travers ce qu'ils racontent, ou encore à travers les actions qu'ils accomplissent, c'est plus intéressant que lorsqu'on écoute l'auteur discourir, même brillamment, à leur sujet.

C'est plus intéressant parce que c'est plus près de la vie, où rien ne nous est donné, et c'est forcément plus intrigant parce que le lecteur ne sait plus sur quel pied danser, qui préfère deviner ou tenter de deviner ce que l'auteur lui aurait autrement appris de manière assommante.

En somme, je crois que la prépondérance actuelle du dialogue dans le roman est largement méritée et que, s'il est manié habilement, il peut faire merveille.

Il est vrai qu'il est l'objet d'un préjugé tenace, qui fait croire à bien des auteurs en herbe qu'il est plus facile à manier que la narration. En effet, pas de style obligatoire, ici, pas de syntaxe complexe, pas d'obligation de faire « littéraire » : on n'a apparemment qu'à laisser parler les personnages !

Mais ce n'est qu'une illusion : les bons dialogues sont rares.

Combien de fois en effet ne devons-nous pas nous farcir des dialogues de ce genre :

« Ça va bien ?

— Oui.

— D'où arrives-tu ?

— De chez moi.

— Ah, bon...

— As-tu une cigarette ?

— Oui.

— Quelle heure est-il ?

— Il est huit heures.

— Tu as faim ?

— Non, pas vraiment.

— Ça n'a pas l'air d'aller, toi...

— Non, ça ne va pas effectivement...

— Raconte-moi donc ce qui te donne une mine si triste..

— C'est gentil de me le demander, j'avais justement envie de me confier. Est-ce que tu as une heure devant toi ?

— Oui.

— Bon, tant mieux... »

C'est évidemment un exemple extrême puisque c'est un sommet dans le genre ennuyeux. Et pourtant, de tels dialogues ne sont pas rares.

Tu ne peux pas me répondre, mais si tu étais là, près de moi, je suis sûr que tu me dirais pourquoi ce dialogue est mortellement soporifique :

1. Chacun répond à la question de l'autre, ce que les bons dialoguistes évitent autant que faire se peut.
2. Ce n'est pas dramatique, il n'y a pas de conflit.
3. C'est trivial et ennuyeux.

C'est ce que les Américains appellent un dialogue *« on the nose »*, expression dont je ne trouve pas facilement d'équivalent mais qu'on pourrait remplacer par « du premier degré » ou tout simplement « trop appuyé ».

On dit souvent que le dialogue est un art, et il est vrai que certains auteurs semblent avoir une oreille pour les dialogues comme on a une oreille musicale. Ils ont un sens dramatique, le sens de la formule, celui de la réplique percutante et juste.

Mais je crois que même le dialoguiste le moins doué peut s'améliorer s'il s'inspire des quelques principes que j'ai observés au cours des vingt dernières années.

Les voici, cher neveu ; puisses-tu en tirer profit pour ton premier roman et les autres, fort nombreux – je l'espère –, qui suivront.

1. **Efforce-toi d'écrire des dialogues naturels**.

Évite les dialogues trop intellectuels, trop littéraires ou abstraits, qui ont l'air de véhiculer tes idées. Tes personnages ne sont pas des marionnettes savantes. Mais ne tombe pas non plus dans le travers contraire qui consiste à vouloir singer la vie.

Le dialogue romanesque restera toujours, d'une certaine manière, **stylisé**.

En effet, contrairement à ce qui se passe dans la réalité, il évite en général les redites, les hésitations constantes et aussi les imprécisions, les inélégances. Il est plus dramatique, il établit avec concision, avec émotion, une situation, un conflit : dans la vie, on bafouille un peu plus.

2. **Écris des dialogues qui ont un but, un sens**.

Pas dans le sens de signification, mais dans celui de **trajectoire**. Lorsque tu commences ton dialogue, tu dois savoir (établis ça aussi dans ton plan) ce que tu veux démontrer avec ce dialogue, où tes personnages veulent en venir. Un dialogue doit être pensé comme une scène : avec un début, un milieu, une fin.

3. **Mets beaucoup d'unités narratives dans tes dialogues**.

Ce qui est valable pour chacune de tes scènes, pour ton récit tout entier, l'est également pour tes dialogues.

4. **Ne fais pas tout dire à tes personnages**.

Rien n'est plus ennuyeux. Pas nécessaire de « vider la question », comme on dit : garde-toi des munitions et cultive la concision, l'inachevé, ce qui laisse subsister le mystère et crée un déséquilibre dramatique.

5. **Tes personnages ne sont pas toujours obligés de répondre à la question qu'on leur pose**.

Ils ne sont pas devant un tribunal ! Ils peuvent :
a) ne pas répondre,
b) répondre par une question,
c) répondre par un geste (ex. : briser un objet), un départ, une gifle, une insulte, une accusation ou un refus de discuter : « Je n'ai pas le temps de parler de ça ! » « C'est un sujet ridicule ! »

Cette « délinquance » de tes personnages rompt la monotonie du dialogue, lui imprime du mouvement, de la vie. Amuse-toi, au moment de la réécriture, à supprimer ici et là des répliques qui te paraissaient nécessaires au premier jet et relis le dialogue ainsi amputé : tu seras parfois charmé du résultat ! Merveille de la liposuccion littéraire !

6. **Tes personnages peuvent s'interrompre.**

Comme dans la vie. C'est impoli, mais ça fait plus authentique.

7. **Ne fais pas tout s'arrêter autour de tes personnages lorsqu'ils parlent.**

Ils peuvent être interrompus par le téléphone, une visite intempestive, un accident, l'arrivée du garçon au restaurant, etc. Si tu respectes cette règle, on a plus l'impression que le dialogue se déroule dans un décor réel et non pas dans l'abstraction.

8. **Fais agir tes personnages pendant qu'ils parlent.**

Ce n'est pas obligatoire (sauf au cinéma où les comédiens insistent toujours pour faire ce qu'ils appellent leur « routine »...), mais c'est toujours plus intéressant de voir un personnage parler en accomplissant quelque action : sinon il a l'air d'un magnétophone ambulant et l'auteur paraît manquer d'imagination !

9. **Coupe une longue réplique en plusieurs répliques plus courtes en faisant intervenir l'interlocuteur.**

Cela donne du mouvement à ton dialogue et combat la monotonie.

10. **Ne fais pas dire à tes personnages ce que le lecteur sait déjà.**

C'est un défaut courant – et d'un ennui ! Lorsqu'un personnage doit expliquer à un autre ce que le lecteur sait déjà, « entre » plus tard dans la scène et, par un commentaire d'un personnage, fais comprendre au lecteur ce qui vient de se dire entre les deux personnages – qu'il sait déjà.

Contente-toi alors de montrer la réaction de l'interlocuteur, ou encore fais-lui demander des éclaircissements, si du moins tu crois qu'ils sont nécessaires à la compréhension de l'intrigue.

Mais ne tombe pas dans la redondance et surtout rappelle-toi : le lecteur est plus malin que tu ne crois !

11. **Ne rends pas ton exposition trop évidente**.

Le dialogue est fort utile pour faire de l'exposition – rapidement et à peu de frais – mais il ne doit pas être trop évident que l'auteur s'en sert à cette fin. Tes personnages ne sont pas des marionnettes venues commodément faire à ta place l'exposition ! Sois subtil. Et surtout rends ton exposition la plus dramatique possible.

12. **Si un de tes personnages a de l'humour, qu'il en ait du début à la fin !**

Si dans une scène tu mets un mot d'esprit, un mot d'auteur dans la bouche d'un personnage, et qu'il n'en refait jamais par la suite, tu dois le supprimer, aussi réussi soit-il, car c'est une tache. Ce mot d'ailleurs crée des attentes – forcément déçues – dans l'esprit du lecteur.

Il est vrai que, dans la vie, une personne ennuyeuse peut occasionnellement avoir un mot d'esprit (presque accidentel, ai-je envie de dire), mais un roman ou un film n'est pas la réalité, et le dialogue, je te le rappelle, doit être stylisé.

13. Dans une scène à plus de deux personnages, ne laisse pas trop longtemps silencieux le troisième ou le quatrième personnage : ou alors dis pourquoi il se tait.

Ils ne doivent pas se gêner pour prendre la parole, quitte à interrompre les deux premiers personnages. Ce sont des scènes plus difficiles à écrire, où l'auteur débutant a souvent tendance à laisser en plan les personnages secondaires. Si un personnage ne dit rien et si ce qu'il apprend pendant cette scène ne le pousse pas à entreprendre une action qui fera avancer l'histoire, tu peux tout aussi bien le supprimer, à moins qu'il ne soit qu'un figurant comme le barman ou un client.

Également, fais parler chacun selon son point de vue et ce qu'il sait logiquement de l'histoire à ce moment du récit ; il faut que chaque personnage dise des choses qui feront avancer le récit ou « illumineront » le personnage principal.

14. Si ton chapitre se termine par une réplique, assure-toi qu'elle donne envie au lecteur de lire le chapitre suivant.

Ce qui se produit presque irrésistiblement si cette ultime réplique est une menace, une promesse, une question ou une révélation inattendue, à laquelle le lecteur ne trouve une réponse ou une explication qu'au chapitre suivant.

15. Mets le maximum de conflits dans tes dialogues.

C'est le dernier conseil que je te donnerai dans cette lettre. Il y en a d'autres, secondaires si on veut, ou plus évidents, comme ceux qui portent sur la vraisemblance (ne fais pas parler un médecin comme un poissonnier – surtout milanais !), mais tu les découvriras bien avec le temps et avec la pratique : je ne peux pas te mettre **tout** tout cuit dans la bouche ! Ton assiette est déjà bien assez pleine, non ?

Si je mets ce conseil à la fin, ce n'est pas parce qu'il est moins important à mes yeux : bien au contraire. En fait, si tu ne devais te rappeler qu'un conseil au sujet des dialogues, c'est celui-là que j'aimerais que tu retiennes. Car même si un dialogue est criblé de défauts, s'il expose un bon conflit, la scène en général fonctionne. Et le lecteur tourne les pages.

Je me rends compte que je te parle de conflit depuis un certain temps et que je ne me suis jamais arrêté à t'en donner la définition. Comme je suis un peu essoufflé, je serai expéditif et simplifierai à l'excès : un conflit, c'est lorsque le personnage A veut une chose, et B une autre chose, souvent le contraire.

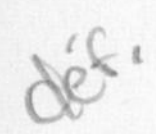

Tes conflits n'ont pas à être toujours grandioses pour être efficaces : un de tes personnages peut avoir envie tout simplement de revoir *La Strada* alors que son compagnon veut aller voir le dernier Woody Allen.

Bon, je te laisse, je crois que tu as maintenant tout ce dont tu as besoin pour écrire lucidement tes dialogues. Je dois maintenant me préparer car j'ai des obligations : j'ai mis la main sur un billet pour aller voir *La Bohème* et il faut que je sois dans une heure à La Scala !

Lettre 12

De la preuve romanesque

Milan, le 23 juin

Hier soir, je flânais à la galerie Vittorio Emanuele, cette magnifique construction de verre et de métal qui donne accès à la partie nord de la piazza del Duomo, et, un peu las, je me suis assis à une table du célèbre café Savini : c'est le coup de fusil, mais après tout on n'a qu'une seule... *dolce vita* à vivre !

À côté de moi, un touriste français qui parlait un italien encore plus approximatif que le mien tentait d'expliquer au serveur, perplexe, qu'il désirait une escalope de veau... à la milanaise !

Demander une escalope de veau à la milanaise à Milan, c'est un peu comme demander un pain français dans une boulangerie parisienne ! C'est la preuve qu'on n'a pas beaucoup voyagé.

Mais bien entendu ce n'est pas de cette preuve que j'aimerais te parler aujourd'hui mais plutôt de la **preuve romanesque**.

Avant de t'en donner les avantages, j'aimerais que tu considères les deux petits textes suivants, que j'ai d'ailleurs improvisés à ton intention à la table du Savini en dégustant un Bellini, mélange exquis de champagne et de fraises dont je n'ai pas trouvé d'équivalent ailleurs qu'en Italie. J'ai baptisé ces textes : deux visages de la jalousie.

1. « Jeanne était jalouse. Même si son mari manifestait encore à son endroit une certaine ardeur après sept ans de mariage, elle le soupçonnait d'avoir une liaison. Cette jalousie empoisonnait littéralement sa vie, et elle n'en était pas fière.

« Elle se demandait souvent d'ailleurs d'où venait ce vilain travers. Pourtant son mari rentrait tous les soir à la maison, il ne regardait pas particulièrement les autres femmes, en tout cas en sa présence.

« Peut-être au fond cette maladie était-elle héréditaire : elle la tenait probablement de sa mère, qui avait un jour découvert par hasard l'infidélité de son mari qui la trompait depuis cinq ans avec sa secrétaire. Sa mère ne s'en était jamais relevée et avait passé le reste de ses jours dans une demi-dépression, même si le mari volage s'était repenti et était resté fidèle jusqu'à la fin.

« Jeanne craignait-elle de subir le même sort que sa pauvre mère ? »

2. « Lorsque Jeanne remarqua, un mercredi matin comme tous les autres, que son mari portait sa montre-bracelet pour se rendre au bureau, tout de suite elle eut un petit pincement au cœur : il ne la portait pour ainsi dire jamais. Même si c'était elle qui la lui avait offerte pour son dernier anniversaire : au bout d'une semaine, il l'avait remisée dans sa table de chevet et ne la ressortait que pour les grands événements, mariages ou baptêmes.

« D'ailleurs, l'angoisse de Jeanne devint encore plus vive lorsqu'elle se rendit compte, en l'embrassant, que cette montre-bracelet n'était pas celle qu'elle lui avait offerte.

« Impossible, pensa-telle, qu'il s'en soit acheté une lui-même. Un homme ne change pas ses goûts ainsi, du jour au lendemain. En tout cas pas son mari, qui était avant tout un homme d'habitude. Alors cette montre était forcément un cadeau : un cadeau de femme. »

Maintenant, à toi de travailler un peu, cher neveu.

Quel est à ton avis le meilleur texte et pourquoi ?

Comme tu n'es pas là pour me répondre, je vais évidemment le faire à ta place, persuadé pourtant que tu auras deviné juste, car ton père t'a laissé l'héritage le plus magnifique : son étincelante intelligence.

Je pense que le deuxième est supérieur au premier. Note que je ne parle pas de ses qualités stylistiques, plutôt minimales. Non, je parle de qualités plus profondes, si tu veux.

Il y a plus de suspense dans le second texte, dont la découverte de l'héroïne est le point central bien entendu. Le second texte utilise un accessoire habilement, c'est-à-dire de manière dramatique : la montre-bracelet. Et puis, autre supériorité, on découvre le drame (ou l'amorce d'un drame, tout au moins) **en même temps** que l'héroïne dont le roman épousera le point de vue.

D'ailleurs, comme c'est son point de vue, on ne sait pas si elle a raison ou si elle imagine des choses. C'est un peu le même avantage qu'avec des dialogues : c'est plus vivant, et donc plus intéressant.

En fait, la supériorité de ce texte sur le précédent tient essentiellement à ceci, je crois : cette scène **prouve** la jalousie. Il recèle donc ce que j'appelle une **preuve romanesque**. Retiens bien cette expression.

Tu veux devenir romancier et non pas essayiste, et non pas philosophe ni psychologue, même si les qualités de ces trois professions peuvent t'être utiles.

Alors tu dois constamment administrer à ton lecteur des preuves romanesques.

Ce qui est parfois plus ardu, je n'en disconviens pas – mais écrire est un travail, ne l'oublie jamais !

Il est en effet plus difficile de mettre des répliques constamment drôles dans la bouche d'un personnage que de prétendre (paresseusement et sans donner de preuve) qu'il l'est. Comme le prescrivent si justement les Américains : *« Don't tell, show ! »* (Ne le dis pas, montre-le !) Ils le disent surtout en pensant au scénariste, mais c'est tout aussi utile pour le romancier, en tout cas pour le romancier qui veut écrire des romans vivants, des romans captivants. Et c'est ce que tu veux, non ?

Par ailleurs, et c'est une autre forme de preuve romanesque, une preuve nécessaire à la vraisemblance et à la logique interne du roman, si dans les premières pages tu dis de ton héros qu'il est extrêmement beau, tu ne peux pas en rester là.

Tu as par le fait même contracté une sorte de dette romanesque : il faut désormais que tu prouves que ton personnage est beau, en montrant les effets (souvent dévastateurs) de cette beauté tout au long du roman.

Les femmes se retourneront sur son passage, sa maîtresse lui pardonnera peut-être plus facilement une incartade parce que toutes les femmes se jettent sur lui, il gagnera plus facilement la confiance d'un éventuel employeur, un juge lui accordera le bénéfice du doute, les mères voudront lui donner leur fille en mariage, etc. Si tu veux un exemple réussi de cette preuve romanesque, lis *Bel Ami*, de Maupassant.

Mais revenons au deuxième texte. Tu n'as pas besoin de dire pendant dix pages que ton héroïne est jalouse. On la **voit** tout de suite habitée par ce terrible et trop commun démon, et on s'identifie à elle, même si on n'est pas certain que son sentiment soit fondé. Et puis la base de sa jalousie n'est pas aussi lointaine, aussi floue que dans le premier texte : il y a cette histoire de montre qui est préoccupante.

À partir de cet incident, qui pourrait fort bien démarrer ton roman et qui en serait pour ainsi dire l'amorce, montre par exemple d'autres actions de ton héroïne inquiète. Fais-la suivre son mari, ouvrir son courrier à la vapeur, faire de petites visites non annoncées au bureau, surtout lorsqu'on lui a dit, au téléphone, qu'il était en réunion...

Le problème avec le premier texte, c'est que tu auras beau le fignoler, l'étirer, tu ne prouveras jamais au lecteur que ton héroïne est jalouse tant que tu ne la feras pas agir... en jalouse !

Je sais, pareille remarque peut avoir l'air d'une vérité de La Palice et pourtant il m'a fallu des années pour découvrir ce principe pourtant fort simple. Et les essais de la plupart des débutants souffrent du même travers que mes premières ébauches.

D'ailleurs, autre avantage du deuxième texte, c'est qu'il appelle des scènes obligatoires. Il est sûr en effet que, devant la découverte de cette montre neuve au bras de son mari, l'héroïne ne peut en rester là : cette scène appelle une autre scène où l'héroïne voudra satisfaire sa volonté de savoir (comme le lecteur d'ailleurs !) et éventuellement apaiser sa jalousie, en tout cas acculer son mari au pied du mur.

En fait, par ce simple incident, tu as mis en place un dispositif dramatique, tu as créé du suspense. Rien de cela dans le premier cas, où tu n'as fait que de l'exposition.

Le premier texte est ce qu'on appelle un sommaire. *Les Mots* de Sartre restera, je crois, la plus parfaite illustration de cette technique. Très peu mis en scène, les événements de l'enfance de l'auteur sont la plupart du temps résumés, mais ce qui aurait pu être statique chez un autre auteur (moins doué) est ici éblouissant : Sartre était un génie et n'en était pas à son premier livre, ce qui ne l'a pas empêché de faire trois versions de ce que plusieurs considèrent comme son chef-d'œuvre, même s'il l'écrivit un peu par dérision pour se moquer du « beau style ».

Mais à tes débuts, alors que tu ne peux compter sur une prose aussi achevée, ni sur une expérience de la vie aussi vaste que celle d'un écrivain quinquagénaire, je te recommande de recourir au sommaire surtout avec tes personnages secondaires. Je t'en ai déjà parlé d'ailleurs : il serait trop long de construire pour chacun d'eux une preuve romanesque et cela déplacerait à tort l'attention du lecteur sur eux.

Du reste, même avec le personnage principal, tu dois parfois, pour des questions d'économie, aller plus vite, résumer son passé ou certains épisodes nécessaires mais moins cruciaux.

Mais autant que faire se peut, mets en scène les situations importantes : utilise la preuve romanesque.

C'est plus ardu, certes, mais c'est là, crois-moi, que tu donneras ta véritable mesure de romancier.

Lettre 13

De l'importance de l'émotion

Milan, le 24 juin

Dans *La Philosophie de la composition*, Edgar Poe écrivait : « Je me demandai : de tous les sujets mélancoliques, quel est le plus mélancolique ? La mort d'une belle femme aimée. »

Tu vois, tous les écrivains se questionnent, même si tous ne bombardent pas leur neveu du fruit de leurs réflexions !

Oui, Edgar Poe se questionnait sur ce qui engendrait la plus grande émotion, car il savait son importance. Il avait parfaitement raison parce que, ultimement, un bon roman est une expérience émotionnelle, et non pas intellectuelle. Je sais bien entendu qu'il y a des exceptions et qu'elles sont nombreuses.

On n'est pas particulièrement ému lorsqu'on lit *L'Insoutenable Légèreté de l'être* de Kundera, et pourtant le roman nous enchante. On peut éprouver une certaine émotion à la lecture de *À la recherche du temps perdu* de Proust, mais on est surtout ébloui par la profondeur des analyses psychologiques et par la description implacable d'une aristocratie décadente. Et *Vendredi ou les limbes du Pacifique* de Tournier nous ravit sans qu'on suffoque d'émotion.

Mais ces œuvres remarquables n'ont fait que les délices de ce que Stendhal appelait les *happy few*.

Pour vivre de ta plume, peut-être devras-tu toucher davantage le cœur que la tête.

C'est un conseil que je te donne en passant et que tu n'es d'ailleurs pas tenu de suivre : c'est ta nature et elle seule qui, finalement, te montrera le chemin qui te convient et dont tu ne devras pas t'écarter, même si on te le reproche.

Donc efforce-toi d'émouvoir, ce qui n'est pas simple du reste et demande plus de métier que l'on pense, surtout pour ne pas tomber dans le travers de bien des débutants qui consiste à adopter un style larmoyant ou sentimental. Au lieu de faire pleurer, ils font rire et ennuient, ce qui est le pire des défauts !

Dans *La Poétique*, Aristote décrète que ce qui produit la plus grande émotion chez le spectateur (il parlait de la tragédie, bien entendu, mais cette règle vaut également pour le roman) est ce qu'il appelle **la reconnaissance**.

Il ne parlait évidemment pas du contraire de l'ingratitude mais plutôt d'une variante de la révélation, la plus dramatique en fait : le héros en effet se rend compte qu'il a tué par erreur un membre de sa propre famille. C'est le malentendu tragique par excellence.

Le grand philosophe est né en l'an 384 avant Jésus-Christ, donc il y a près de deux mille cinq cents ans. Or ce qu'il a établi dans son petit traité reste encore valable aujourd'hui. D'innombrables auteurs ont utilisé ce ressort dramatique, que ce soit délibérément ou pas. Camus y a eu recours dans sa magnifique nouvelle, qui porte d'ailleurs le titre tout simple : *Le Malentendu*.

Et pense à la belle histoire dont je t'ai parlé dans une lettre antérieure : *Manon des sources*. Dans l'une des dernières scènes du film – et du roman – le Papet (Yves Montand au cinéma) a, après avoir enterré Hugolin, dernier descendant de la famille des Soubeyran, une conversation décisive avec une vieille aveugle qui le connaît depuis des lustres.

Elle lui apprend alors que Florette, la jolie, son grand amour de jeunesse, était enceinte lorsqu'elle s'est mariée, par dépit, avec un autre, parce qu'elle n'avait plus de nouvelles de lui, parti à la guerre. La vénérable vieillarde lui apprend surtout – et c'est le point culminant du film – que Florette, malgré tous ses efforts pour faire passer le petit, a accouché d'un bossu.

En une révélation saisissante, le Papet se rend alors compte que Jean de Florette, le bossu qu'il a poussé à la ruine puis à la mort en cachant la source de sa terre, était en fait son propre fils ! Et là, bien entendu, une émotion extraordinaire naît chez cet homme qui n'avait jamais cru avoir de descendance, comme chez le spectateur, bien entendu : c'est la reconnaissance.

Soit dit en passant, cette fable magnifique contient une prémisse profonde : c'est que souvent le fils – ou la femme – dont on rêve, et qui nous aurait rendu heureux, est là, à côté de nous, qui ne demande que notre amour, mais nous ne le voyons pas. À la limite, cette belle histoire nous enseigne que nous devons tous nous aimer, car nous sommes tous frères.

Ce que je trouve fascinant dans la reconnaissance, c'est qu'Aristote l'ait considérée, il y a plus de deux mille ans, comme le plus grand ressort de l'émotion et qu'elle soit encore parfaitement efficace aujourd'hui, comme si la nature humaine n'avait pas changé ou que le philosophe y avait plongé si profondément qu'il y avait découvert des principes éternels.

Voilà, il me semble, un fait exaltant. C'est donc que, contrairement à ce que croient ceux qui se hérissent devant tout principe, devant tout système autre que celui qui consiste à n'en pas avoir, il existe des règles qui régissent l'art narratif, des règles peut-être aussi éternelles que la reconnaissance, et que seule notre paresse nous empêche de découvrir.

Si tu ne retenais que cela des lettres que je t'ai écrites – je parle de l'existence de ces principes secrets et pourtant réels – je crois que tu aurais beaucoup appris et je me féliciterais d'avoir interrompu si souvent mon roman.

Oui, j'en serais enchanté, car je sais que, fort de cette certitude nouvelle qui contredit peut-être ta vision par trop romantique du roman, tu te mettrais aussitôt en route, et hardiment, pour découvrir par toi-même ces principes éternels qui feront peut-être de toi, un jour, un véritable romancier. Car on ne comprend jamais aussi bien un principe que lorsqu'on le réinvente pour son propre compte. Ce qu'ont dû faire un jour ou l'autre tous les grands romanciers.

Moi, ces principes, je n'ai fait que les entrevoir, et ce que tu as retrouvé dans mes lettres n'en était que l'éclat lointain. Mais je me console à l'idée qu'un romancier quadragénaire n'est encore qu'un jeune romancier. Et que je ferai sur ma route bien d'autres découvertes et bien d'autres romans. Alors imagine ta chance, imagine ton avenir, toi qui n'as que dix-huit ans !

Lettre 14

Bon succès !

Paris, le 28 juin

Je suis assis depuis quelques minutes à la célèbre terrasse du Fouquet, sur les Champs-Élysées. Et je t'écris ce qui sera ma dernière lettre, du moins pendant une longue période, car mes personnages, trop longtemps négligés, me réclament impérieusement. Du reste, je crois t'avoir donné suffisamment de rudiments romanesques pour que tu te mettes à travailler sérieusement.

Et puis, à la vérité, je crains, si je t'accable davantage de conseils, de faire comme ces enfants trop affectueux qui étouffent sous leurs caresses leur petit animal préféré. Si tout à coup écrire t'apparaissait comme une tâche infiniment complexe, j'en serais désolé, car je n'ai essayé, maladroitement peut-être, que de t'éclairer un peu.

Incidemment, je crois que ce serait une erreur, lorsque tu prendras la plume, de penser à tout ce que j'ai pu te conseiller. Il faut à mon avis que tu y penses **avant** – par exemple en établissant ton plan – et **après**. Mais surtout pas **pendant**. Tu risquerais de tout gâcher, de paralyser ta fantaisie, de gêner l'expression de ton émotion.

D'ailleurs, si les conseils que je t'ai donnés sont de quelque utilité, il ne faut surtout pas qu'ils te fassent oublier l'essentiel, qui est d'écrire.

Tous les jours.

Comme si c'était ta religion.

Comme si c'était ta respiration.

C'est en écrivant qu'on apprend à écrire.

Anciennement – je veux dire il y a une centaine d'années – l'avenue des Champs-Élysées était bordée de vastes parcs et les cochers venaient s'abreuver chez Fouquet.

Aujourd'hui, ce café aux origines des plus modestes est devenu un des plus réputés de Paris : les célébrités le fréquentent et bien des gens de cinéma ont pris l'habitude de venir superstitieusement y signer leurs contrats importants. C'est te dire à quel point le temps change les choses, à quel point, surtout, malgré la modestie de tes débuts, tu pourras peut-être, si tu persévères, si tu crois en ta bonne étoile, devenir un jour un grand romancier.

Platon commençait presque toutes ses magnifiques lettres par le nom de son interlocuteur et la simple formule : « Bon succès ». Mais dans son esprit, l'expression n'avait pas le sens, commun, de réussite. Pour lui, le succès désignait plutôt l'établissement, dans l'âme, du Bien et surtout de la sagesse.

Aussi, cher neveu, je terminerai cette lettre en te souhaitant : « Bon succès ! »

Je suis persuadé que, peu importe le tour que prendra ta carrière de romancier, elle fera de toi un homme meilleur et plus sage, car si c'est un métier difficile, c'est aussi le plus beau métier du monde.

De nouveau, et avec toute mon affection : « Bon succès ! »

transcontinental
IMPRESSION
IMPRIMERIE GAGNÉ

IMPRIMÉ AU CANADA